Éric Godin

Apprendre à compter

SOULIÈRES
ÉDITEUR
www.soulieresediteur.com

case postale 36563 — 598, rue Victoria
Saint-Lambert (Québec) J4P 3S8

Soulières éditeur remercie le Conseil des Arts du Canada et la SODEC de l'aide accordée à son programme de publication et reconnaît l'aide financière du gouvernement du Canada par l'entremise du Fonds du livre du Canada (FLC) pour ses activités d'édition. Soulières éditeur bénéficie également du Programme de crédit d'impôt pour l'édition de livres — Gestion Sodec — du gouvernement du Québec.

Dépôt légal : 2013

Catalogage avant publication de Bibliothèque et Archives nationales du Québec et Bibliothèque et Archives Canada

Godin, Éric, 1982
    Apprendre à compter
    (Collection Graffiti ; 80)
    Pour jeunes de 15 ans et plus.

    ISBN 978-2-89607-168-5

    I. Titre. II. Collection: Collection Graffiti ; 80.
PS8613.O339A86 2013   jC843'.6   C2012-942474-9
PS9613.O339A86 2013

Conception graphique de la couverture :
Annie Pencrec'h

Illustration de la couverture :
Annie Pencrec'h

Apprendre à compter

**Du même auteur
chez un autre éditeur:**

Personne n'aime Robin, éditions Humanitas,
2009

À ma sœur Nadia.
Merci d'avoir inventé le sens de l'humour.
P.-S. : La prochaine fois que tu penses
à quelque chose d'aussi génial,
n'oublie donc pas de le breveter.

*

Bien que plusieurs événements de ce roman sont basés sur des faits réels, les personnages sont fictifs et toute ressemblance avec quiconque, vivant ou mort ou sur le point de naître, est une pure coïncidence.

1 |||||||||||||||||||||||||||
9 782922 225020

Premier inventaire

S'IL Y A UNE CHOSE QUE JE DÉTESTE, C'EST COMPTER. Pas que c'est difficile, au contraire, mais c'est tellement ennuyeux !

Par exemple, il me reste deux semaines avant de terminer ma deuxième session de cégep. Il me reste cinq examens. Il me manque 14 points (sur une possibilité de 40) pour réussir mon cours de philosophie. Le spécial du jour coûte 5,80 $ à la cafétéria (on va donc me remettre 4,20 $ de monnaie). Je croise en moyenne 39 filles par jour que j'aimerais bien amener dans mon lit.

Et je ne me contente pas de calculer à l'école, je le fais aussi dans la vie de tous les jours. Je voudrais bien arrêter, croyez-moi, mais c'est tout ce que j'ai en tête, des calculs. Ça et les filles.

Voyons ce que je peux vous apprendre en quelques lignes… J'ai 10 $ dans mon portefeuille et 2,77 $ en petite monnaie dans mes poches. Dans mon compte bancaire, j'ai 243,36 $ (le fruit de plusieurs années d'efforts).

J'ai 49 CD et 17 DVD dans ma collection. J'ai 83 livres (et bientôt plus de place pour les ranger).

J'habite la ville de Québec depuis 12 ans (avant j'étais à Montréal). J'ai 18 ans (depuis cinq semaines). J'ai deux sœurs. Une mère et un père. J'ai 0 animal de compagnie (bien que j'aie toujours voulu avoir un chien à moi). J'ai… un nombre trop élevé de boutons sur le visage. Du plombage sur une dent. Une paire de souliers (et une paire de bottines, pour l'hiver). Quatre paires de pantalons. 9 t-shirts et 12 gilets à manches longues (dont 8 t-shirts et 10 gilets à manches longues achetés par ma mère).

Je vois bien que vous vous dites que ce n'est pas si mal, pour un adolescent de 18 ans. Je suis sur le point de réussir mon cours d'anglais, j'ai assez d'argent pour m'acheter à manger, j'ai encore le temps de m'acheter un chien, plus tard, et je ne suis pas le seul adolescent à avoir des boutons, le temps va bien me guérir. Voilà quatre points qui devraient me remonter le moral, et qui devraient me démontrer que la vie, ce n'est pas si terrible.

Je devrais peut-être commencer à m'acheter des vêtements moi-même, mais c'est là un sujet qui nécessite une tout autre discussion.

Si vous ne comprenez toujours pas, c'est parce que, moi, je n'ai pas fini de compter.

En vérité, tous les chiffres que je viens de lancer en l'air, comme ça, ne servent pas à grand-chose dans la vie. Tous ces chiffres, je pourrais m'en passer, moi.

Les chiffres qui m'importent sont ceux-ci : depuis ma naissance, je me suis fait 0 ami et 0 petite amie. J'ai bien quelques copains (trois, pour être exact), oui, mais aucun d'entre eux n'est un réel ami. Vous savez, le genre d'ami qui est toujours là pour vous lorsque vous allez bien et lorsque vous allez moins bien. Mes trois copains ne sont pas de ce genre-là.

La preuve, c'est que l'année dernière, j'ai été absent de l'école durant 23 jours parce que j'étais malade. Pendant que j'étais au lit, j'ai reçu 0 téléphone et 0 visiteur. Lorsque je suis retourné à l'école, je suis allé voir mes copains et ils m'ont accueilli comme s'ils venaient tout juste de me voir la veille. Après 8 minutes d'inconfort, je leur ai dit que j'allais bien et qu'ils ne devaient pas s'inquiéter pour moi. Figurez-vous qu'ils n'avaient aucune idée de ce dont je voulais parler.

Pour couronner le tout, j'ai perdu de vue deux de ces copains depuis la fin du secondaire et je croise l'autre régulièrement dans les couloirs du cégep, mais lui ne me croise pas. Il me voit comme je le vois, mais il ne me donne pas signe de vie, comme si j'étais un étranger.

Remarquez, vu notre intimité d'autrefois, il se peut que je me trompe et que ce ne soit même pas lui que je croise dans les couloirs.

Quant aux petites amies, il ne vaut même pas la peine d'en parler.

En fait, non, c'est le contraire, parlons-en, des petites amies ! Dans les derniers mois seulement, j'ai lu cinq articles dans différents journaux concernant l'hyper sexualisation des jeunes. J'ai vu trois reportages sur le même sujet à la télévision. J'ai fait des recherches sur Internet et, croyez-moi, l'hyper sexualisation des jeunes est un sujet de taille.

Je dois avoir manqué une journée de classe sans l'avoir remarqué parce que ce phénomène est bien loin de me toucher. Au contraire, plus je tente ma chance avec les filles, plus je suis seul.

Il y a bien eu cette fille, en troisième secondaire, qui a voulu m'embrasser. Mon Dieu ! Je me souviens encore que ses lèvres étaient tendres et légèrement humides ! Le baiser n'a duré qu'une seconde, mais c'était la seconde où j'ai été le plus joyeux de toute ma vie !

Je ne considère pas vraiment ce baiser comme étant une expérience satisfaisante parce que, bon, en fait, elle m'avait pris pour quelqu'un d'autre (je vous raconterai un jour). Je me console en me disant que j'ai quand même réussi à m'enfuir avant de recevoir un poing sur la figure de son « vrai » petit ami.

Hormis cet involontaire acte de bonté de la part de la gent féminine, je ne me souviens pas d'une seule fois où j'ai marché à côté d'une fille, main dans la main. Ce n'est pas parce que je n'ai pas essayé, c'est seulement qu'aucune fille à qui je me suis intéressé ne s'est intéressée à moi en retour. D'un autre côté, les filles qui se sont intéressées à moi ne m'intéressaient pas. Tout n'est qu'un problème d'intérêt, comme vous pouvez le constater.

Donc, pour résumer, j'ai 0 ami et 0 petite amie. Voilà 18 ans (et cinq semaines) que je suis célibataire. Je croise en moyenne 39 filles par jour qui me plaisent. Par semaine, je me risque à parler à une ou deux filles, ce qui signifie que, à sept jours par semaine, je croise 271 filles à qui je n'ose pas adresser la parole (quoique, pour être juste, il se peut que je croise les mêmes filles deux fois sans m'en rendre compte).

Ce 271, ce n'est pas seulement un nombre aléatoire, pour moi. Deux cent soixante et onze, c'est le nombre de chances d'être heureux que le destin a mis sur mon chemin.

C'est également le nombre de fois où j'ai raté cette chance.

Soirée dans une boîte de nuit

J'AI DEMANDÉ À MA MÈRE SI ELLE VOULAIT BIEN ME PRÊTER SA VOITURE. ELLE M'A DEMANDÉ POURQUOI. JE LE LUI AI DIT.

Voilà comment j'en suis arrivé où je suis présentement. Pas l'histoire la plus fascinante, je l'admets, mais tout de même le point fort de ma journée pour l'instant.

En fait, je suis présentement dans le stationnement du Talon Enfoncé, sur le boulevard Charest, cette boîte de nuit où les jeunes gens « branchés » vont s'amuser. Qu'est-ce que je peux bien faire dans le stationnement d'une boîte de nuit si je n'ai pas d'amis et, surtout, pourquoi ne suis-je pas plutôt à l'intérieur ?

Voilà deux très bonnes questions auxquelles je m'empresse de répondre.

Tout a commencé en fin d'après-midi, en plein milieu d'un cours d'algèbre linéaire. Nous étions quatre, autour d'une table, à faire des travaux pratiques, lorsque tout à coup, sans avertissement, l'un de mes camarades de classe lance une idée, comme ça. Il propose de se retrouver le soir même pour danser et faire la fête, de façon à décrocher un peu de toutes ces leçons.

Immédiatement, on applaudit, on félicite et on approuve avec de grands mouvements de tête. Puis, on se tourne vers moi et on attend. On attend et on me regarde intensément, tellement que j'ai cru, pendant un instant, que j'avais trouvé un remède au cancer du sein et que j'avais décidé de le garder pour moi.

Ayant le choix entre passer une autre soirée à étudier et une sortie, enfin, pour me changer les idées, je n'ai pas eu à réfléchir bien longtemps. J'ai applaudi, j'ai félicité et j'ai approuvé d'un grand mouvement de tête.

Nous convenons de nous rejoindre dehors, devant le club, à dix heures pile. Moi, comme je déteste être en retard, je suis là vingt minutes avant l'heure prévue. J'ai une très belle vue sur le devant du club d'où je me trouve; alors, je ne bouge pas, j'attends.

J'attends et je regarde les filles qui dépassent ma voiture et qui entrent à l'intérieur. Je pense un instant à sortir de ma voiture et à aborder quelques-unes d'entre elles, mais je me dis que je vais seulement avoir l'air du mineur qui ne peut avoir accès à l'intérieur. Je reste donc assis et je regarde.

Lorsque deux filles dépassent ma voiture, je les suis du regard. Leurs courtes jupes laissent voir leurs longues jambes parfaites jusqu'au milieu des cuisses. Alors qu'elles marchent, je ne peux détourner mon regard de ce point précis, là où la jupe s'arrête et où l'incroyable beauté du corps féminin commence.

Comme si elles avaient entendu ma prière, elles s'immobilisent subitement avant d'entrer et elles regardent de tous côtés. Je comprends qu'elles attendent quelqu'un et j'en profite pour faire un peu plus que de l'observation.

Je sors de la voiture sans faire de bruit et sans attirer leur regard. Lentement, un pas à la fois, je m'approche d'elles. Je ne suis plus qu'à quelques mètres et elles ne m'ont toujours pas vu. Je m'approche encore du but et, finalement, je suis tellement près que je peux sentir le parfum de l'une d'entre elles. Je ne suis pas un expert en parfum, mais celui-ci sent un peu les pêches, une aura que j'adore.

Je tourne autour d'elles en les dévisageant. Elles parlent, mais dans mon présent état d'esprit, je ne les entends pas.

Sans toucher ni l'une ni l'autre des filles, je prends le temps de regarder chaque détail de leur corps. Pour les jambes, je commence avec leurs pieds (qui se ressemblent beaucoup, étrangement) et je remonte doucement. Je dépasse les genoux et m'arrête au point où la jupe commence, au milieu des cuisses.

Je m'accorde une seconde, pour réfléchir à ce que je vais faire ensuite. J'avance la main

avec l'intention de détacher un ou deux boutons du chemisier d'une des filles, mais je me
retiens au dernier instant. Si je les touche, je
risque d'attirer leur attention et elles ne me
laisseront plus les regarder.

J'opte plutôt pour m'accroupir, de façon à
avoir une bonne vue sur leurs jambes. Dans
cette position, je me penche encore plus et
remarque que je commence à voir plus haut,
sous la jupe. Je passe ma langue sur mes lèvres
et me penche encore, et encore.

Soudainement, je glisse et m'effondre sur
le pavé avec un grand *bang*. Je tourne la tête
et vois un groupe de quatre adolescents, dont
l'un d'eux est appuyé sur ma voiture. Ce gros
bêta a perdu l'équilibre et a heurté l'aile arrière
de l'auto. Il ne reste appuyé qu'une seconde,
puis le groupe se met en marche, vers le club.
Vu la manière dont ils se déplacent, je devine
qu'ils ont déjà consommé une certaine quantité
d'alcool, ce qui explique peut-être pourquoi ils
n'ont aucun respect pour les voitures des autres
ni, plus important encore, pour leurs fantasmes.

Les adolescents jettent un long regard sur
les deux filles, puis ils montrent leurs cartes au
portier avant d'entrer.

Sur la radio, il est maintenant indiqué 10 h
15. Mes camarades de classe sont soit en retard,
soit déjà à l'intérieur. Je décide que la dernière
option est la bonne, mais je suis conscient de

ne pas être tout à fait en état de marcher et décide d'attendre encore quelques minutes. Je ferme les yeux et me force à ne penser à rien.

***

Je dois avoir l'air vieux, parce que le portier ne m'a pas demandé mes cartes.

Je fais le tour du bar par la droite, évitant la piste de danse au milieu, et j'aperçois assez rapidement mes trois camarades de classe à une table. Il y a également avec eux trois autres personnes que je ne connais pas. Enfin, si, il y en a peut-être une que j'ai déjà vue au cégep, mais je n'en suis pas certain.

Je m'arrête à côté d'eux et j'observe. Ils sont en train de jouer au jeu qui consiste à faire rebondir une pièce de 25 sous dans un verre. J'attends exactement 26 secondes avant que l'un d'eux ne lève les yeux et me reconnaisse. Ils me saluent en levant leur bière et crient quelque chose que je ne comprends pas parce que la musique joue trop fort. Sans plus de formalité, ils retournent à leur jeu.

La table où ils se trouvent compte six places. Moi, je suis la septième personne. J'ai donc le choix de rester debout, à côté de la table, ou de brutaliser quelqu'un pour lui voler sa chaise (parce que, évidemment, il ne reste plus une seule chaise de libre dans la salle).

Comme je suis une personne violente dans mes meilleurs fantasmes seulement et que chacune des six personnes semble se foutre de ma présence, je choisis la troisième option qui consiste à aller me chercher une bière au bar.

Je passe ma commande et, trente-deux secondes plus tard, un breuvage bien froid apparaît devant moi. On me demande un prix exagéré, mais j'avais prévu le coup en allant retirer 40 $ de mon compte.

Alors que je ramasse la monnaie qu'on me donne, tout en laissant un généreux pourboire d'un dollar et dix sous, une fille arrive au bar, à quelques mètres de moi seulement. Lorsque nos regards se croisent, j'ose lui lancer un sourire, histoire de lui faire comprendre que je suis son homme. Elle me sourit aussi, mais détourne immédiatement les yeux et ne me regarde plus.

Certaines filles ne comprennent pas les signaux qu'on leur envoie.

Ne me laissant pas abattre, je prends une longue gorgée de bière tout en restant adossé au bar à observer les gens sur la piste de danse. Chaque fois que je viens dans ce genre d'endroit (et quand je dis « chaque fois », je veux dire la seule et unique autre fois où j'y suis entré), je trouve fascinant la différence entre les mouvements des filles et des gars sur la piste de danse. La plupart des filles, elles, dansent de façon fluide, comme si elles avaient pratiqué cet art toute leur vie. Je pourrais rester à les regarder pendant des heures tellement c'est agréable.

Bien entendu, il y a toujours un petit nombre de filles pour danser comme si elles étaient prêtes à coucher avec vous moyennant un certain montant d'argent négocié et payé à l'avance. Ce genre de filles est moins agréable à regarder parce qu'on a l'impression qu'elles ont déjà couché dans la moitié des lits de la ville.

La majorité des gars, quant à eux, ne savent pas vraiment danser, mais ça ne me fait rien du tout.

Après trois minutes et douze secondes, je commence à chercher du regard une demoiselle intéressante. Il y en a plusieurs, j'en conviens, mais celle que je cherche doit être seule, sinon je risque d'avoir un poing sur la figure.

Là, à ma gauche, je vois deux filles assises sur une banquette. Elles n'ont pas l'air de boire et elles regardent la piste de danse avec envie. Il est évident qu'elles attendent que je fasse un pas vers elles (ne me contredisez pas, vous allez me décourager).

Je prends une gorgée de bière, puis je m'en approche, essayant d'avoir l'air naturel. Lorsque je ne suis plus qu'à un mètre, elles lèvent les yeux vers moi qui leur souris. Et quel sourire je leur fais ! Je leur montre en même temps que je suis un bon gars et que je peux être une bête au lit (elles ne peuvent pas savoir que je théorise). Je regarde les deux filles, une à une, hésitant une fraction de seconde. Laquelle choisir ?

Je choisis la première parce que, en fait, quelle différence ?

— Est-ce que tu veux danser ?

J'ai crié pour me faire entendre au-dessus de cette musique qui joue beaucoup trop fort, mais je ne suis pas certain qu'elle m'ait bien compris.

Elle sourit, fait signe que non avec sa tête et touche mon bras d'un geste qui, pour elle, veut dire « merci, j'apprécie l'attention ». Moi, ce que je comprends dans son geste, c'est « toutes mes condoléances ».

Défait, j'ai envie de m'effondrer ou, mieux encore, de m'effacer. Encore une fois, on m'a brisé le cœur et je dois retourner dans mon trou, le dos courbé. À moins que…

Je me tourne vers la deuxième fille.

— Et toi, tu veux danser ?

Elle recule de quelques centimètres (cinq, à vue d'œil), sourit comme si elle était gênée par ma question et fait signe que non. Elle ne me touche pas le bras comme l'avait fait la première.

Oui, je suis bel et bien défait, le cœur brisé, etc.

Je décide que ma chambre à coucher est un endroit bien moins dépressif que cette boîte de nuit et que retourner à la maison à l'instant même est la meilleure chose à faire.

Aussitôt que j'aurai terminé ma bière, plutôt.

3.

La fureur paternelle

L E LENDEMAIN, JE ME RÉVEILLE FRAIS ET DISPOS. D'ABORD, JE N'AI BU QU'UNE SEULE BIÈRE, CE QUI N'EST PAS SUFFISANT POUR AVOIR UNE GUEULE DE BOIS. Ensuite, aujourd'hui c'est samedi et je peux donc dormir jusqu'à l'heure du dîner, si je le veux.

D'ailleurs, le dîner est servi.

Je m'assieds à ma place habituelle, devant une assiette pleine d'un sandwich au jambon avec de la moutarde. À ma gauche, il y a ma sœur, Nadine. Elle mange la même chose que moi, moins la moutarde. Elle n'aime pas la moutarde. Elle n'a que 15 ans, je me dis qu'elle a le temps de devenir normale.

Devant moi, il y a mon père (54 ans) qui lit le journal. Il mange plus tôt, donc vous n'aurez pas le plaisir de le voir engloutir sa nourriture comme s'il venait d'être sauvé d'une île déserte (au fait, que fait-il à la table s'il ne mange pas ?). Ma mère, à ma droite, mange ce qui semble être deux tranches de pain avec de la salade. Elle est étrange, ma mère. Elle a 49 ans.

Mon autre sœur, Valérie, a 21 ans et habite en appartement avec une amie. Elle vient nous voir régulièrement, surtout lorsqu'elle manque de nourriture. Lorsqu'elle manque d'affection, elle va voir son petit ami. Je ne sais pas le nom de celui-ci, il change chaque mois (le petit ami, pas son nom).

Je me verse un verre de lait et mange tranquillement. Ma sœur parle avec ma mère de je ne sais trop quoi. Moi, je suis reconnaissant qu'on me laisse tranquille. Je regarde un peu partout, en mâchant et en savourant le jambon.

Je sursaute lorsque le journal atterrit devant moi, presque sur mon assiette. Je devine qu'il ne s'est pas déplacé de lui-même et je lève les yeux vers mon père qui me fixe d'un regard terrible. Ce n'est pas de sa faute, par contre, il a toujours le même regard.

Ma sœur et ma mère ont arrêté de parler. Elles attendent, tout comme moi.

Mon père se décide à parler.

— Fils, dit-il pour que je comprenne qu'il s'adresse à moi. Faudrait que tu commences à travailler. Tu regarderas la section des offres d'emploi dans le journal, j'ai entouré ceux que je trouve pas pires pour toi.

Je comprends maintenant pourquoi il a lancé le journal vers moi. Très astucieux !

Alors, comment dois-je réagir, au juste ? Mon père me lance comme ça que je dois travailler, pendant que je suis en train de manger. Il m'annonce que, désormais, ma vie va être complètement changée. Il change l'histoire telle qu'elle était en train d'être écrite !

Je hausse les épaules.

— O.K.

Je prends le journal et utilise toute ma dextérité pour tourner les pages d'une main alors que je continue à manger de l'autre. Je vois bien que je ne suis pas né pour ce genre d'acrobatie, mais j'insiste, d'un air déterminé, sachant que mon avenir est en jeu.

De toute façon, il n'y a personne pour voir jusqu'à quel point j'ai l'air bête. Ma mère et ma sœur ont repris leur conversation et mon père est parti au salon pour écouter la télévision.

J'arrive enfin à la section des offres d'emploi. Je regarde la liste tout en buvant une gorgée de lait. On a besoin d'un ingénieur, mais cette annonce n'est pas entourée. Est-ce un manque de confiance de la part de mon père, ou simplement une marque de bon sens ? Ce n'est pas moi qui irai le lui demander.

On a aussi besoin d'un apothicaire, mais il a aussi ignoré cette annonce. Je comprends pourquoi il n'a pas entouré l'offre d'emploi concernant le secrétariat, mais pourquoi ne pourrais-je pas être un danseur professionnel ?

Bon, je tombe finalement sur une offre qu'il a trouvée intéressante. Je lis et éclate d'un rire franc. Ma mère et ma sœur s'arrêtent de parler, le temps de me regarder. Comme je ne lève pas les yeux du journal, elles recommencent aussitôt.

Je lis tous les détails de l'annonce : commis à l'inventaire, sur appel, aucune formation requise, appeler au numéro ci-dessous pour une entrevue…

Est-ce qu'il veut rire de moi ? Moi qui en ai assez de toujours compter, il veut que ce soit justement ça mon travail ? Je ne sais pas exactement ce que veut dire « commis », mais je sais qu'« inventaire » veut dire faire un genre de décompte.

Je soupire. Je reviendrai à cette annonce plus tard.

Je regarde les deux autres offres entourées par mon père. La première parle de recueillir des dons pour les pauvres par téléphone. Je ne suis pas du genre à aimer déranger les gens par téléphone, mais il est indiqué que je peux faire mon propre horaire et que la rémunération est au-dessus du salaire minimum. Il faut appeler durant les heures de bureau pour une entrevue, je mets donc l'information de côté.

Finalement, mon père croit que je pourrais être un commis au réaménagement. Je suppose que, comme moi, il n'a aucune idée de ce qu'est un commis au réaménagement, mais il a bien vu qu'aucun diplôme n'était nécessaire. Je dois me rendre directement sur place pour y laisser mon CV si je veux avoir une chance d'être employé. Encore une fois, je devrai attendre que la semaine de travail recommence.

Mes perspectives d'avenir plein la tête, je termine mon sandwich et monte à l'étage pour retourner dans ma chambre. Je dépose le journal sur mon bureau et m'assois devant l'ordinateur que j'allume.

Je mets les mains derrière ma tête et regarde au plafond. J'ai probablement trois entrevues à venir. Trois entrevues à préparer. Trois chances de voir le solde de mon compte en banque augmenter toutes les deux semaines. Trois chances de voir mon père me sourire parce qu'il sera fier de moi.

Trois chances que j'échangerais volontiers pour une seule chance d'être avec une fille que j'aime.

J'accède à Internet pour aller sur un site de rencontre que j'ai visité souvent au cours des dernières semaines. Comme je l'ai fait chaque fois, je révise les informations que j'ai inscrites à mon sujet, une à une.

Âge : 18. **Pays** : Canada. **Province** : Québec. **Cheveux** : bruns. **Yeux** : marron. **Taille** : 168 centimètres. **Poids** : 145 livres. **Études** : secondaire. **Profession** : étudiant. **Fumeur** : non. **Situation** : célibataire. **A des enfants** : non. **Désire des enfants** : indécis. **Silhouette** : normale. **Origine ethnique** : caucasien. **Revenus** : faibles. **Aspect physique** : plutôt agréable. **Langues parlées** : français, anglais. Mon annonce : ...

Voilà où je bloque. Choisir dans une liste, c'est facile, mais lorsque vient le temps d'écrire sur moi, je ne sais plus. Aujourd'hui encore, j'hésite. J'écris : étudiant ayant un brillant avenir dans le domaine du réaménagement. J'efface, puis j'essaie : jeune homme guidé par ses hormones qui fantasme sur les filles 24 heures sur 24. Je suis tenté de le laisser pendant un instant, puis j'efface, découragé.

Je vais prendre une douche.

4.

Ma première entrevue

EXACTEMENT 24 MINUTES APRÈS AVOIR QUITTÉ LA MAISON, J'ARRIVE À DESTINATION. JE N'AI PAS PRIS LA VOITURE AUJOURD'HUI PUISQUE MA MÈRE CONSIDÈRE QUE SON TRAVAIL EST PLUS IMPORTANT QUE MON ENTREVUE. Non, je me suis plutôt servi du merveilleux système d'autobus mis en place dans la ville. J'ai sauté dans la 87, attendu patiemment à chaque arrêt que quelqu'un monte, puis je suis descendu un arrêt trop tôt (il faut croire que je ne trouvais pas si agréable que ça de me tenir au plafond et d'être trimbalé dans tous les sens).

Heureusement que je suis parti en avance. Déjà que je m'évertue à compter les minutes qui passent, vous devriez me voir lorsque je suis en retard. Je crois que j'aurais moins honte à m'évanouir en public que d'être vu à compter les secondes lorsque je suis en retard. Pas que j'aie tendance à souvent m'évanouir ou que je connaisse quelqu'un qui souffre d'évanouissements répétitifs.

Pourquoi est-ce que je parle d'évanouissement, tout à coup ?

Bref, j'entre dans la Pyramide, à Sainte-Foy, et prends l'ascenseur à l'endroit qu'on m'a indiqué. La Pyramide est le nom qu'on donne au bâtiment à cause de sa forme et je ne sais même pas quel est son vrai nom. J'espère qu'on ne me questionnera pas là-dessus lors de mon entrevue…

J'entre dans l'ascenseur avec un homme plus âgé, et j'appuie sur le bouton du troisième étage. Avant de prendre rendez-vous, je n'avais jamais su qu'il existait un troisième étage. Ça augure mal, pour l'entrevue… Je vois ça d'ici : en quelle année le bâtiment a-t-il été construit ? Combien d'hommes ont travaillé dessus ?

Ça n'allait pas être facile.

Pour me changer un peu les idées, je jette un coup d'œil à l'homme qui est avec moi dans l'ascenseur. Il est habillé très proprement, chemise, cravate et tout. La cravate qu'il porte compte trois cercles bleus sur fond rouge. J'aime bien sa cravate.

Une sonnerie nous annonce que nous sommes arrivés et nous sortons. L'homme tourne à droite, sans hésiter. Moi, je reste là, à regarder le nom des commerces sur le mur, devant moi. Je trouve celui qui m'intéresse et m'y dirige sans plus attendre.

Je n'entre pas tout de suite parce que je suis arrivé six minutes avant l'heure prévue. Si j'entre maintenant, je risque de trouver tout le monde dans des positions sexuelles étranges et on va me crier après.

Ferme la porte, imbécile ! Ce n'est pas encore l'heure de ton entrevue !

Essayez d'expliquer à quelqu'un que vous voulez travailler pour lui lorsque vous l'avez vu nu.

Je laisse le temps s'écouler lentement dans le couloir vide. Il doit n'y avoir que des commerces ne faisant pas affaire directement avec des clients sur cet étage parce que je ne vois personne d'autre, hormis une figure qui bouge à travers une vitre, ici et là.

Quatre minutes avant l'heure prévue, je prends le plus gros risque de ma vie : je pousse la porte et me retrouve face à une réceptionniste d'un certain âge. Enfin, moi, je lui fais face. Elle garde la tête baissée et lit un livre.

Étonnant comme certaines personnes peuvent se rhabiller rapidement.

— Bonjour, dis-je. Je m'appelle Louis Beaumont. J'ai rendez-vous à une heure.

La réceptionniste garde les yeux baissés, comme si elle ne m'avait pas entendu. Alors que je commence à me demander si elle n'est pas sourde, elle lève une main et allonge un doigt.

— C'est dans la salle, là.

Incertain de la façon dont je dois réagir, je reste là, à la regarder. J'ai bien compris qu'il fallait que j'aille attendre dans la salle en question, mais est-ce que je dois remercier cette dame ? Est-ce par désintérêt ou par manque de professionnalisme qu'elle ne daigne même pas me regarder ?

De peur de rester dans cette position pour le restant de l'après-midi, je m'éloigne et j'entre dans ce qui semble être une salle de réunion où se trouve déjà une autre personne. C'est un homme, dans la trentaine peut-être, qui me fait un signe de tête. Je lui rends son salut et m'assois, de l'autre côté de la table, mais pas directement en face.

Je me demande une seconde ce qu'il fait là, lui, puis je me rends compte que s'il est ici à la même heure, c'est qu'il est ici pour la même entrevue. Ce sera donc une entrevue de groupe. Avec des déductions comme celles-là, je suis certain d'impressionner le jury.

Onze minutes plus tard, nous sommes six dans la salle. Il y a l'homme qui est arrivé le premier, une jeune fille assez attirante (que j'ai le plaisir d'avoir directement en face de moi), un autre homme habillé très proprement et à l'allure professionnelle, une femme dans la quarantaine qui n'arrête pas de remettre ses cheveux en place et, malheureusement, un homme obèse en camisole blanche qui transpire un peu trop visiblement.

Ce dernier est soit immensément stupide ou très, très vendeur pour se présenter à une entrevue habillé de cette façon.

Je n'ai pas le temps de réfléchir plus longtemps à une façon qui me permettrait de sortir d'ici avec la jeune fille, car voilà qu'une dame aux cheveux blancs et au regard sérieux entre dans la pièce.

— Bonjour, dit-elle.

Avant même de prendre le temps de s'asseoir, elle croit bon de dire quelques mots pour nous encourager.

— Vous êtes ici pour vendre, que ce soit clair tout de suite. Ceux qui ne sont pas vendeurs, vous pouvez très bien sortir tout de suite.

Elle nous regarde tour à tour et, face à son regard perçant, aucun d'entre nous ne se risque à bouger.

— Parfait, dit-elle. Commençons.

Un peu abasourdi de me faire parler sur un ton aussi sec par cette dame que je considère déjà comme une imbécile de première classe, j'ai envie de m'éclipser en douce. Mais comment faire pour ne pas être remarqué ? Lancer un objet dans l'autre sens pour attirer leur attention ?

— Chacun va se présenter et nous parler de ses expériences.

L'homme habillé très proprement tousse et s'avance sur son siège.

— Je vais commencer, dit la dame en plissant les yeux d'un air meurtrier.

L'homme habillé proprement se renfonce dans son siège sans faire un autre bruit.

— Je m'appelle Jocelyne Quintal et ça fait six ans que je récolte des dons par téléphone pour les pauvres. C'est moi qui serai votre superviseur.

Avoir eu un fusil sous la main, c'est à ce moment précis que ce serait achevée ma courte vie.

— C'est à ton tour.

Elle regarde l'homme dans la trentaine, celui qui est arrivé le premier. Celui-ci se maudit probablement de ne pas s'être assis à l'autre bout de la table, mais il répond quand même assez adroitement. Impressionné, je regarde l'imbécile qui hoche la tête sans rien ajouter.

— À toi, maintenant, dit-elle à la jeune fille, en face de moi.

Cette dernière remue sur sa chaise, un peu mal à l'aise. Elle répond en souriant, mais sa voix tremble, laissant supposer qu'elle est nerveuse.

— Je m'appelle Isabelle Cantin. J'ai 19 ans. Je suis étudiante et j'ai quelques expériences de bénévolat.

Je m'attends à ce que l'imbécile lui demande des précisions, mais elle passe au suivant aussitôt que la jeune fille s'arrête de parler, comme si elle ne lui accordait aucune importance.

Je lui souris, moi, à la jeune fille. Je veux lui montrer qu'elle a bien fait et qu'elle peut être fière. Je m'attends à ce que cette beauté comprenne dans mon sourire que je suis bon à marier et à ce qu'elle se jette à mes pieds en me suppliant de la sortir d'ici au plus vite.

Sauf qu'elle ne me regarde pas et mon geste passe inaperçu. Ce que la vie est injuste, parfois.

— À toi, maintenant.

J'ai raté le discours de la femme qui n'arrête pas de toucher à ses cheveux, mais je n'étais pas très intéressé de toute façon. Voilà maintenant que c'est l'homme obèse en camisole qui doit se vendre.

— Je suis Guy Corriveau. J'ai été camionneur pendant une vingtaine d'années.

C'est une blague, ou quoi ?

Mais personne ne rit.

— Jeune homme, dit l'imbécile en me regardant.

Je balbutie quelque chose qui ressemble un peu à ce que la jeune fille a dit un peu plus tôt, puis je me tourne vers elle, lui fais un clin d'œil et imite un fusil à l'aide du pouce et de l'index de ma main droite.

Bon, d'accord, je ne lui fais pas de clin d'œil et je ne tire pas de fusil avec mon pouce et mon index. Ç'aurait été génial, par contre.

L'imbécile demande au dernier de se présenter avant de passer à autre chose. Elle distribue à chacun quelques feuilles de papier en nous disant de ne pas commencer à lire sans elle. Bien entendu, il faut que je fasse mon boy-scout et que je lise quand même onze mots. Pas que je n'aurais pu en lire plus, mais après 11, j'ai tellement peur de me faire surprendre et dévorer sur place que j'arrête.

Il va falloir que je me rappelle d'avoir l'air surpris lorsque nous lirons ensemble ces 11 mots.

— Je vous ai donné deux documents. Le premier est ce que vous devrez dire aux clients. Quand je parle de clients, je parle des gens à qui vous allez téléphoner.

Je hoche la tête comme si elle venait de nous apprendre une grande vérité. J'espère qu'elle me voit et que je marque des points.

— Le deuxième document est une liste d'objections des clients et des contre-attaques à utiliser.

Je triche encore en jetant un regard rapide à cette liste et j'ai le temps de lire les deux objections suivantes : « Je n'ai pas d'argent » et « Je donne déjà à d'autres ». Un sourire au coin des lèvres, je lève les yeux vers l'imbécile. Elle n'a rien remarqué, la vieille !

— Je vais lire le premier document et vous allez suivre. Ensuite, vous en lirez chacun votre tour une partie pour vous pratiquer. D'accord ?

Sans attendre de réponse, elle se met à lire le premier document. Je lis sur la feuille, en même temps qu'elle et je deviens de plus en plus mal à l'aise. D'abord, le texte est beaucoup, beaucoup trop long. Il y en a pour au moins deux minutes de texte avant de laisser le « client » dire un seul mot. Deux minutes à écouter quelqu'un parler au téléphone, c'est long, surtout que nous ne mentionnons pas le but de notre appel avant la toute fin.

Ensuite, les mots « petits pauvres » y sont répétés vingt et une fois. Je cligne des yeux huit fois et je parcours le texte à nouveau pour être certain…

Ah ! Voilà ! Je me suis trompé, ce n'est pas vingt et une, mais plutôt vingt-deux ! Vingt-deux fois !

Le texte que j'ai devant les yeux est absolument ignoble ! Ce n'est pas seulement de la sollicitation, c'est de la manipulation ! C'est prendre les gens pour plus bêtes qu'ils ne le sont (ce qui explique peut-être pourquoi les deux employés que j'ai rencontrés sont des crétins de première classe).

— Bon, maintenant vous allez en lire une partie chacun votre tour.

Mais moi, j'en ai assez de celle-là. Je n'ai pas envie de me retrouver dans six ans à ne plus être capable de sourire et à détester tout le monde.

Je mets mon poing sur la table (littéralement), ce qui fait sursauter tout le monde.

— Assez ! dis-je d'un ton grave et assez viril. C'est de la foutaise, votre truc ! Vous pensez vraiment que les gens attendront patiemment au téléphone pendant que nous leur débitons ces conneries ? C'est prendre les gens pour plus stupides qu'ils ne le sont ! Vous croyez vraiment qu'en répétant petit pauvre, petit pauvre, petit pauvre, ils vont finir par craquer et nous léguer leur fortune ? C'est de la merde, votre texte !

— Mais…

— Je n'ai pas fini, l'imbécile ! Vous vous prenez pour qui, vous, d'ailleurs ? Vous entrez ici sans même vous présenter et vous avez l'audace de nous parler comme à des chiens ? C'est parce que vous êtes malheureuse, ou quoi ? Votre mari ne vous satisfait plus, hein ? Et votre secrétaire, c'est quoi son problème ? Le savoir-vivre, vous ne connaissez pas ?

Je vois bien que l'imbécile est outrée qu'on lui parle de cette manière. Les autres personnes présentes dans la salle aussi ne savent plus comment réagir. Il n'y a que la jeune fille devant moi qui, elle, sourit de toutes ses dents.

Je lui fais un clin d'œil (un vrai) et je continue :

— Je ne sais pas pour vous, mais moi, je ne veux pas travailler pour des imbéciles.

Je me lève gracieusement.

— Et je profite de cette occasion pour vous demander, mademoiselle, si vous ne voudriez pas envoyer au diable tout ça et venir prendre un verre avec moi ?

La jeune fille s'évanouit presque de plaisir.

— Oui ! Oui, bien sûr !

Et elle se lève, un peu moins gracieusement parce qu'encore sous le choc de sortir avec un Adonis tel que moi.

— Je vous souhaite donc bonne chance à tous. Tout spécialement à vous, avec la camisole. Je suis certain qu'en vous présentant habillé comme ça, vous avez vraiment mis toutes les chances de votre côté.

Je salue le simple d'esprit d'un signe de tête et l'imbécile d'un signe de doigt et, enfin, je sors avec la jeune fille, bras dessus, bras dessous.

— Si ça ne vous dérange pas, chère dame, j'aimerais vous amener prendre un verre dans un petit bar, quelque part. C'est que, vous comprenez, j'ai peur que le monsieur à la camisole me retrouve et veuille me donner une leçon.

Enfin, qu'il essaie de me donner une leçon !
Ha ha ha !

Au moment où je termine mon discours,
les portes de l'ascenseur se referment sur nous.
Immédiatement, la fille se précipite sur le bouton d'arrêt urgence.

— Mais qu'est-ce que ceci ? demandai-je,
surpris, mais étrangement excité à la fois.

— Je ne peux attendre ! dit-elle. Prends-
moi, ici, maintenant !

Qui suis-je, moi, pour refuser une telle
demande ?

D'un seul geste vif, j'enlève ma cravate et
ma chemise, me retrouvant torse nu.

Devant mon physique impressionnant, la
fille lâche un cri de plaisir et commence à respi-
rer de plus en plus vite. Je la prends dans mes
bras, tout contre moi, mes lèvres à quelques
millimètres des siennes seulement.

— Mon Dieu ! Comme tu es belle !

— Oh ! Jeune homme !

— Quoi ?

— Jeune homme ?

La fille n'est plus dans mes bras, elle se
retrouve de l'autre côté de la table et elle me
regarde en fronçant les sourcils.

Je m'aperçois avec horreur que je ne suis
pas dans l'ascenseur et que l'imbécile s'adresse
à moi depuis quelques secondes. Je suppose

que c'est à mon tour de lire une partie de cette atrocité.

Je baisse les yeux vers le texte et, sans même me forcer, j'aperçois trois fois les mots « petits pauvres ».

L'imbécile, elle, insiste :

— Jeune homme, est-ce que vous allez lire, oui ou non ?

Je balaie les documents du revers de la main et crie :

— Nooooon !

Je me lève brusquement en faisant tomber ma chaise, puis je cours vers la fenêtre et m'y jette, tête première. Dehors, j'atterris sur mes pieds et je me mets à courir parce que je suis libre, enfin libre !

Bon, quand je dis que j'ai crié et que j'ai sauté par la fenêtre, j'exagère peut-être un petit peu. En vérité, j'ai remercié poliment et je suis sorti tranquillement par la porte.

5.

Ma deuxième entrevue

VU LE SUCCÈS ÉCLATANT DE MA PREMIÈRE EN-
TREVUE, J'AI DE GRANDS ESPOIRS EN CE QUI
CONCERNE MA DEUXIÈME CHANCE.

J'ai cherché « commis en réaménagement »,
sur Internet, et j'ai eu la surprise de ne rien
trouver. L'emploi pour lequel je postule est tellement unique que l'entreprise a dû inventer
un nouveau nom de poste.

Je suis vraiment privilégié.

Je me mets donc en route, à pied cette fois,
pour deux raisons. D'abord, parce que je suis un
jeune homme énergique qui n'a pas froid aux
yeux et qui n'a pas peur de faire un peu d'exercice.
Ensuite, parce que mes parents sont partis avec
leur voiture respective et que je n'ai pas le choix.

J'arrive à l'adresse recherchée 32 minutes
après avoir quitté la maison. Je trouve le bon
local sans difficulté et je pousse la porte d'un
air déterminé, CV en main. Attention, em-
ployeurs, me voici !

Je me retrouve dans une petite pièce, juste
assez grande pour y contenir trois ou quatre

personnes. Bien que les lumières soient allumées, je n'y vois pas très clair à cause de la fumée qui émane des cigarettes des deux employés qui sont assis devant des ordinateurs.

Sur les bureaux, à côté des écrans d'ordinateur, je compte trois cendriers contenant huit, sept et neuf mégots de cigarettes. Bien que ma vision ne soit pas très claire, je peux facilement constater qu'une couche de poussière assez épaisse recouvre tous les objets contenus dans cette pièce.

Dans un coin, à côté d'une poubelle, je vois deux cartons de nourriture vides autour desquels volent trois mouches, le cœur joyeux.

Dégoûté, je retiens une envie de vomir sur tout ce qui bouge.

— C'est pourquoi ?

La dame qui m'a parlé a une voix rauque et la raison en est assez évidente.

J'envisage un instant de lui révéler la vraie raison de ma présence, mais je ne pourrais plus vivre avec moi-même par la suite. Je préfère être mort plutôt que de travailler pour des gens comme ceux-là.

À la place, je mets une main devant ma bouche, comme si j'allais être malade.

— Je m'appelle George Bourgeault, inspecteur de salubrité. Je fais une visite surprise et je vois que je n'ai pas besoin d'aller plus loin.

J'ai un haut-le-cœur, puis je me retourne vivement et je sors de la pièce alors que j'entends la dame crier :

— Non, attendez !

Dehors, je me penche en mettant les mains sur mes genoux, comme si j'allais être malade. J'entends la dame qui me rejoint en courant.

— Monsieur ! Monsieur, ne partez pas ! Ce n'est pas ce que vous pensez !

Je me retourne vers elle.

— J'ai bien peur que si, madame. Vous pouvez compter sur une fermeture définitive d'ici la fin de la semaine.

— Monsieur, non ! Il doit bien y avoir un moyen !

Elle se met à genoux, devant moi, et verse quelques larmes.

— Je ferai tout ce que vous voulez ! Tout !

— J'ai bien peur qu'il n'y ait rien à faire ! Bonsoir, madame !

Je m'éloigne d'un pas rapide.

— Je vous donnerai mes filles !

Je reviens d'un pas rapide.

— Vos filles ?

— J'ai deux filles de 16 et 17 ans. Je vous les donne !

Je hoche la tête.

— Ça pourrait marcher. Elles ressemblent à quoi, vos filles ?

— Bof, vous savez. Elles posent toutes deux pour des magazines, alors, pas si mal.

— Elles sont malpropres, comme vous ?

— Non, ce sont de petites saintes ! Elles ne fument pas, ne boivent pas d'alcool. Elles ne sortent même pas ! Elles ne me l'ont jamais dit, mais je suis certaine qu'elles n'ont jamais même embrassé de garçons !

Je pose une main sur l'épaule de la dame, pour la réconforter.

— Très bien, alors. J'accepte votre offre.

— Jeune homme ?

Les larmes aux yeux à cause de la fumée, je fixe la dame, assise à son bureau.

Non, mais, on a fini de m'interrompre au moment où ça devient intéressant ?

— Jeune homme, ça va ?

— Ça va, lui répondis-je.

Avant qu'elle n'ait le temps de me demander ce qu'elle peut faire pour moi, je me retourne et commence à partir. Au dernier moment, je me rappelle un détail important et je me retourne.

— Madame, c'est quoi un commis au réaménagement, au juste ?

— On travaille pour le gouvernement. On aide à déménager les employés d'un bureau à un autre dans les mêmes bâtisses ou dans des bâtisses différentes.

— O.K. Merci.

Je sors, satisfait. Je n'aurai pas réussi à trouver un travail, mais, à l'avenir, on ne pourra pas dire que je ne sais pas ce qu'est un commis au réaménagement. Je suis déjà plus savant qu'une bonne partie de la population.

En retournant chez moi, je repense à l'insalubrité du bureau et je me demande comment quelqu'un peut passer plus d'une journée là-dedans sans être malade.

D'abord l'imbécile à ma première entrevue, puis une malpropre à ma deuxième. Est-ce que le monde ne serait pas devenu fou ?

Et puis pourquoi est-ce que tout le monde m'appelle jeune homme, au juste ? Pourquoi pas vieil adolescent ?

6.

Ma troisième entrevue

VU LE SUCCÈS ÉCLATANT DE MA DEUXIÈME EN-
TREVUE, J'AI DE GRANDS ESPOIRS EN CE QUI
CONCERNE LA TROISIÈME.

Je dois être désespéré, ou fou. Ou les deux.
Sinon, pourquoi est-ce que je voudrais d'un
emploi où je dois compter sans arrêt ?

À reculons (littéralement, je vous jure), je
me rends à l'adresse indiquée dans le journal.
Cette fois, j'ai pu emprunter la voiture de ma
mère, ce qui m'a permis de faire un trajet de 12
minutes seulement. En fait, j'arrive à mon rendez-vous exactement 15 minutes avant l'heure
prévue.

Et vous ne devinerez jamais où se trouve
ce lieu de rendez-vous : sur le boulevard Charest, dans le même stationnement que le Talon
Enfoncé, ce bar où j'ai eu tellement de succès
qu'on a affiché ma photo au mur. Il se trouve
que dans l'édifice en « L », il y a une foule de
commerces que je n'ai jamais remarqués avant.

Je ne sais pas quels genres de commerces
exactement puisque les noms ne me disent

rien, mais il n'y a que neuf voitures dans le stationnement (en comptant la mienne).

À droite de l'entrée, je peux voir une femme dans la trentaine qui fume une cigarette, l'air d'attendre quelqu'un.

Au cas où ce serait moi qu'elle attend, je sors de la voiture et me dirige vers l'entrée d'un pas confiant. Je garde le sourire parce que je me dis que c'est peut-être elle qui me fera passer mon entrevue. Ou qui sera la femme de ma vie (un peu vieille pour moi, j'en conviens, mais on ne sait jamais).

Elle garde les yeux fixés sur moi, et moi sur elle, pendant que je m'approche. Je suis sur le point de lui lancer une remarque sans faille telle que « Salut poupée ! » ou « Beau décolleté ! », mais elle ouvre la bouche avant moi.

— C'est pour l'entrevue ?

Reste maintenant à savoir si c'est la femme de ma vie.

— Oui, dis-je. Louis Beaumont.

Je lui tends la main tout en essayant de rester à une distance sécuritaire de sa cigarette. Je me dis que, au moins, elle est assez intelligente pour fumer dehors... ou obligée de le faire.

Elle me serre la main un peu mollement et je dois faire attention pour ne pas lui broyer les os.

— Je m'appelle Josée. T'es en avance. C'est bien ça.

— Je suis toujours en avance. Je déteste être en retard.

— Excellent, ça. Parce que nous autres, quand on voyage, il faut être à l'heure sinon on retarde tout le monde.

Je veux lui demander de quel voyage elle parle, mais je me retiens, de peur d'avoir l'air non renseigné.

De toute façon, elle continue de parler :

— Tu es étudiant ?

— Seulement quand j'étudie.

Elle me regarde, sans rien dire, puis je réalise qu'elle pourrait croire que je me moque d'elle et je m'empresse de lui dire que je suis présentement en vacances, pour l'été.

— Donc, t'es libre jour, soir et les fins de semaine ?

— Absolument.

— C'est bien ça, on a besoin de monde tout le temps.

Je ne cesse de marquer des points, ce qui semble prouver que je suis parfait pour ce travail. Est-ce que je dois sauter de joie ou me noyer dans mes larmes ?

Elle jette sa cigarette plus loin.

— Bon, on va aller attendre dans le bureau.

Je veux lui tenir la porte, mais elle est beaucoup trop rapide et elle passe devant moi. Je la suis, en relâchant un peu l'air professionnel que je me suis donné dehors. Je profite même du fait qu'elle marche devant moi pour apprécier sa silhouette. Pas mal pour une femme plus âgée que moi.

J'ai les yeux fixés sur ses fesses lorsqu'elle ouvre la porte d'un local et fait un pas vers la droite, pour me laisser passer. Des années d'expérience ont aiguisé mes réflexes et je peux facilement reprendre mon visage professionnel sans qu'elle remarque quoi que ce soit.

Enfin, j'espère.

J'entre et une dame assise derrière un ordinateur me dit bonjour avec un sourire. Je lui rends son salut et regarde rapidement autour de moi. Pas de fumée, pas de restants de nourriture qui traînent par terre, pas de mouches...

— C'est en haut, suis-moi.

Josée me fait le plaisir de passer devant moi, dans les escaliers, ce qui me permet d'apprécier sa silhouette à nouveau pendant encore quelques secondes.

En haut, nous tournons à droite pour nous retrouver dans une grande salle de réunion qui semble aussi servir de cafétéria, vu les micro-ondes et le réfrigérateur. Pas de mouches ici non plus.

— Assieds-toi.

Je choisis une place au milieu de la table alors que j'entends la porte qui s'ouvre, en bas.

— On va attendre, ça doit être quelqu'un d'autre qui arrive.

Un homme entre dans la salle douze secondes plus tard. Je vois qu'il n'est pas vêtu d'une camisole et j'approuve en silence.

— Bonjour, dit Josée. Assieds-toi.

L'homme prend place sur le siège immédiatement à ma droite, comme s'il n'avait pas remarqué les dix autres sièges libres. Ou comme s'il voulait m'attraper les cuisses en dessous de la table.

S'il me touche, je crie.

— Bonjour, me dit-il.

— Bonjour.

Josée nous donne une feuille et un crayon à chacun.

— En attendant que les autres arrivent, vous pouvez compléter ce formulaire-là.

On dit « remplir » un formulaire, mais je lui pardonne sa faute, vu le plaisir visuel qu'elle m'offre.

J'écris mon nom, adresse et numéro d'assurance sociale sur le formulaire. Je dois aussi répondre à quelques autres questions et, le temps que je termine, quatre autres personnes sont assises à la table.

Josée donne à chacun le même formulaire, mais pas le même crayon (parce que bon, avez-vous déjà essayé d'écrire à quatre avec le même crayon ?).

Au bout de quelques minutes, elle prend la parole :

— Il manque une personne, mais on va commencer quand même.

Elle prend d'abord quelques secondes pour se présenter. Moi, pendant ces quelques secondes, je ne suis pas obligé d'écouter parce que, disons-le, elle et moi, nous sommes de vieux copains. Enfin, en ce moment, dans ma tête, nous sommes de vieux amants, mais le tout est un peu trop explicite et je ne peux donner trop de détails.

— Le travail d'un commis à l'inventaire, c'est de compter les produits avec le plus de précision possible, le plus rapidement possible. Et c'est avec ça que vous allez compter.

Là, je commence à être plus attentif, parce qu'elle va probablement nous sortir un truc du futur que nous allons attacher à notre cerveau pour compter avec les yeux, ou quelque chose comme ça.

J'essaie de cacher ma déception lorsqu'elle nous sort un genre de machine qui ressemble à une calculatrice, mais en plus gros.

— Cette machine, c'est comme une calculatrice, mais en plus gros.

J'avais remarqué.

— En plus de pouvoir entrer des chiffres de 0 à 9, vous allez aussi pouvoir scanner des codes à barres. Normalement, pendant un inventaire, vous scannez les produits, vous n'entrez pas les numéros un par un.

Si je comprends bien, c'est la machine qui compte à notre place.

— Dans le fond, c'est la machine qui compte à votre place.

Elle lit dans mes pensées, ou quoi ? Il va falloir que je fasse attention.

— J'ai un petit test à vous faire passer et après, on va essayer la machine ensemble, O.K. ?

Elle passe à chacun une feuille de questions de mathématiques, quinze au recto et quinze au verso. Pendant que Josée nous regarde, un sourire en coin, moi, je calcule. Ce sont des questions assez simples, en réalité, qui ne demandent qu'un minimum de calcul mental.

J'inscris la solution de la dernière question, puis je regarde les autres et m'aperçois que je suis le premier à avoir terminé. Je regarde ma montre, mais je ne sais pas à quelle heure j'ai commencé.

Je retiens un juron. Si je ne sais pas à quelle heure j'ai commencé, comment je fais pour savoir combien de temps j'ai pris ? Ceci est sans aucun doute le point le plus bas de ma journée.

Mon Dieu, il faut que j'arrête de m'obséder avec le temps.

— Tu as fini ? me demande Josée.

Je lui fais signe que oui et elle échange ma feuille contre une autre. Elle me donne aussi une machine et me montre comment bien la tenir dans ma main gauche (il faut garder notre main dominante libre pour pouvoir déplacer les objets). Sur la nouvelle feuille, il y a une liste de codes à barres que je dois scanner, puis que je dois entrer manuellement à l'aide des touches.

J'appuie sur le bouton à l'aide de mon index et vois un laser rouge apparaître sur la feuille. Je retiens l'envie de me scanner l'œil et me mets au travail.

Au milieu de la page, seulement deux autres personnes ont terminé de remplir la première feuille de calcul. Arrivé en bas, je tourne la feuille et vois qu'il n'y a rien de l'autre côté.

Josée, occupée à donner les instructions, ne voit pas tout de suite que j'ai terminé. Les autres, eux, se demandent encore comment fonctionne la machine. Partout autour de moi, j'entends des « bip » et je vois l'air confus des utilisateurs.

C'est tout juste s'ils ne se mettent pas en position fœtale dans un coin de la pièce.

Finalement, en passant derrière moi, Josée se rend compte que j'ai déposé ma machine sur la table.

— Terminé ? demande-t-elle. C'est correct, tu peux partir.

Je ne suis pas trop certain de comprendre, mais elle répète.

— C'est correct, on va t'appeler.

— O.K., merci beaucoup.

Nous nous serrons la main parce que nous ne voulons pas nous embrasser devant tout le monde.

— J'ai une question avant de partir. La machine, elle a un nom ?

— Pas vraiment. On fait juste appeler ça un scanneur, d'habitude.

Je la remercie encore et, avant qu'elle ne m'appelle jeune homme, je sors de la pièce et dévale les escaliers.

— Salut poupée ! dis-je à la réceptionniste, en sortant.

Mais elle doit avoir mal compris parce qu'elle me répond :

— Bonne journée à vous aussi, jeune homme.

Jeune homme... Misère !

7

Mon premier emploi

JE M'APPROCHE DE MON ENNEMI SANS FAIRE DE BRUIT. IL NE ME VOIT PAS ARRIVER, TROP OCCUPÉ QU'IL EST À RESTER À UN SEUL ENDROIT ET À AT-TENDRE DE VOIR QUELQU'UN PASSER DEVANT LUI.

Amateur.

Je lui assène un coup de crosse sur la nuque, le tuant instantanément.

Ça me fait quatre morts à coup de crosse, deux à l'aide de grenades et douze à l'aide de balles. Dix-huit, c'est bien, mais ce n'est quand même pas assez bon pour la première place. Le meneur, un dénommé Hotdude425, a déjà 23 morts, ce qui signifie qu'il lui en reste deux pour gagner.

J'appuie sur les touches de la manette de jeu pour me déplacer rapidement, toujours en gardant un œil sur le radar pour voir si je m'approche d'autres joueurs. Je vois un point rouge et je contourne un bâtiment, espérant surprendre mon ennemi par-derrière.

Je m'approche du joueur à toute vitesse, mais celui-ci se retourne au dernier instant et se met à tirer comme un déchaîné. J'évite ses balles du mieux que je peux tout en lui retournant la faveur. Je saute, je tourne, je cours, je fais tout ce que je peux pour avoir l'avantage. Finalement, je m'approche du joueur afin de lui asséner le coup de grâce, mais au moment où je m'apprête à le frapper de ma crosse, une grenade atterrit à nos pieds et nous fait sauter, les deux en même temps.

L'écran se fige, un tableau de résultats apparaît. En nous tuant tous les deux, Hotdude425 a atteint les 25 morts et il a gagné.

Je jette ma manette de jeu sur mon lit.

— Foutu joueur de douze ans.

À ce moment, deux coups secs se font entendre à ma porte. Soit quelqu'un de ma famille veut me voir, soit quelqu'un confond ma porte avec l'entrée principale.

— Oui ?

Ma sœur Nadine entre dans ma chambre, le téléphone sans fil à la main. Elle le tend vers moi.

— Qu'est-ce que tu veux que je fasse avec ça ? que je lui demande.

Elle soupire.

— Le téléphone, pour toi.

J'utilise l'ensemble de mes connaissances pour essayer de comprendre ce qui est en train de se passer, mais je n'y arrive pas.

— Pourquoi tu me donnes ça en cadeau ? Si tu veux me faire un cadeau, achète-moi des sous-vêtements avec une face d'Homer Simpson dessus.

— Eille, innocent, arrête de niaiser, il y a quelqu'un qui te demande au téléphone !

Moi ? Au téléphone ?

Voilà qui est nouveau.

— T'es sûre ?

Elle soupire encore.

— Oui, j'ai demandé trois fois.

D'une main tremblante, je prends le téléphone. Aussitôt débarrassée du combiné, ma sœur sort en claquant la porte derrière elle.

Je retourne le téléphone dans tous les sens, me demandant comment fonctionne l'appareil. Est-ce qu'il y a un code d'accès, pour que je puisse m'identifier ? Un endroit où je dois poser mon pouce, pour les empreintes digitales ? Une sorte d'identification vocale ?

Je décide de faire simplement.

— Allô ?

— Louis Beaumont ?

— Maman ?

Comme si j'avais le courage de faire une telle blague à une inconnue au téléphone.

En fait, voici ce que je dis :

— Oui, c'est moi.

Moins drôle, n'est-ce pas ?

J'ai la surprise de l'entendre se nommer et me demander si je veux être commis à l'inventaire. Ce n'était pas la perspective d'emploi qui m'avait le plus plu lorsque j'avais lu les annonces dans le journal, mais je dois dire que de rencontrer une imbécile ainsi qu'une femme malpropre remet les idées en place.

J'accepte son offre en manifestant un enthousiasme exagéré et je dois me retenir de dire une connerie telle que : je serai le meilleur commis à l'inventaire que vous aurez jamais connu !

— Est-ce que tu es libre pour ta formation jeudi dans deux jours ? me demande Josée.

— Oui, j'ai fini l'école pour l'été, je suis libre tout le temps.

Elle me dit à quel commerce je dois me rendre et à quelle heure. Elle me dit que je peux m'habiller comme je veux pour la formation, mais que normalement, il y a un code vestimentaire à suivre. Dans un monde idéal, il faudrait s'habiller comme Keanu Reeves, dans *La Matrice*, mais je doute que ce soit ce qu'elle veut dire.

— On va t'expliquer le reste là-bas,

— O.K.

Quelques secondes plus tard, nous avons raccroché.

Ça y est. J'ai un emploi. Je suis un travailleur. Personne ne m'avait dit que ça allait être aussi facile.

Si j'avais su, j'aurais demandé à mon père de m'obliger à trouver un emploi avant.

Ma formation

NOUS SOMMES JEUDI. IL EST 19 HEURES. JE SUIS AU CHECKMART, CE MAGASIN À GRANDE SURFACE QUI SE TROUVE AU MILIEU DU CENTRE COMMERCIAL PLACE CHARTIER, À SAINTE-FOY, EXACTEMENT OÙ JE SUIS CENSÉ ÊTRE.

Jusqu'ici je suis un employé parfait et je mérite sûrement une bonne augmentation de salaire.

Le formateur est un petit bonhomme qui mesure quelques centimètres de moins que moi. Il a des cheveux bruns, assez courts, il porte des lunettes et il est évident qu'il ne s'est pas rasé depuis au moins deux jours. Il est assez mince et ne ferait peur à personne, malgré l'air sérieux qu'il se donne.

Vu sa démarche et sa manière de parler, je dirais qu'il doit avoir deux à trois ans de plus que moi.

Son nom est Frédéric Jobin, mais il demande à tout le monde de l'appeler Paul. On lui a demandé pourquoi, sauf qu'il n'a pas daigné répondre, prétendant que c'était une longue histoire.

Nous sommes sept nouveaux employés, mais Frédéric, ou Paul, nous dit que nous devrions être neuf; alors, nous attendons quelques minutes.

Les nouveaux employés se regroupent déjà par deux ou par trois pour parler entre eux. Comme si chacun avait une sorte de radar qui permettait de détecter les perdants, personne ne s'approche de moi.

Au lieu d'essayer de m'intégrer à un groupe, je décide de laisser mon regard se promener. C'est alors que je remarque une fille qui se tient à côté de deux personnes qui discutent. On dirait qu'elle veut avoir l'air de participer, mais en fait, elle garde les yeux timidement baissés.

Étrangement, je n'ai pas immédiatement envie de me jeter sur elle pour lui enlever son linge. Elle est jolie, certes, mais pas d'une manière qui saute aux yeux. Ses cheveux blonds lui descendent jusqu'au cou, cachant son visage à moitié puisqu'elle penche la tête en ce moment. Je ne peux voir tous les détails de son visage de cette distance, mais je vois bien qu'elle a une silhouette appréciable.

Est-ce que je deviendrais las de toutes ces jolies filles ? Moi, qui ne pense qu'à ça, même dans mon sommeil, je me dis que cette fille est bien, mais sans plus.

Avant que j'aie le temps de m'inquiéter plus encore, Paul revient et nous annonce que nous allons commencer la formation. En voyant que certains continuent de parler, il s'exclame :

— Hé ! On n'est pas ici pour jaser ! On est ici pour apprendre à compter; alors, vous allez m'écouter, O.K. ? Je vous avertis, si je vois que vous faites pas l'affaire, je vais vous mettre dehors, ça fait que vous feriez mieux de suivre.

Je trouve qu'il y va un peu fort, mais bon… Il a toute notre attention, maintenant. Alors qu'il nous parle, je jette un regard de temps en temps vers la fille, pour voir si mes hormones ne vont soudainement pas se réveiller.

— Bon, je vais vous montrer comment démarrer la machine.

Il nous montre sur quelle touche appuyer, puis nous allons d'un menu à l'autre et je me rends compte que cette machine est beaucoup plus puissante qu'une simple calculatrice.

— Est-ce que vous avez des questions ?

Comme personne n'a d'interrogations, il nous fait signe de le suivre et nous nous rendons dans la section des jouets du magasin. Bien qu'il soit jeudi soir, il n'y a qu'un nombre modéré de clients et nous pouvons être assez tranquilles.

Évidemment, avec nos machines, nous ne tardons pas à être pris pour des employés du Checkmart.

— Bon, si vous regardez ici, je vous montre un billet que vous devez remplir à chaque section que vous allez compter. Quand vous avez fini votre section, vous écrivez le nombre d'items, vos initiales et le numéro de votre machine. C'est compris ?

Paul nous parle tout le temps sur le même ton sec, comme s'il manquait de patience avec nous alors que nous n'avons pas encore été testés. Je commence à croire que je n'aimerai pas ce formateur.

Il nous donne quelques instructions supplémentaires, puis nous montre la section des jouets.

— Au fur et à mesure que je mets les billets dans les sections, je veux que quelqu'un commence à compter. Rappelez-vous, vous comptez toujours de gauche à droite, de bas en haut.

Il pose un premier billet dans une section, puis se déplace vers la section suivante. Voyant que personne n'ose bouger, il réagit assez fortement.

— Ben, grouillez-vous ! Qu'est-ce que vous faites ? Toi, prends cette section-là !

L'homme qu'il a montré du doigt est un noir qui s'approche et qui prend le billet d'un geste lent et le scanne, comme Paul nous l'a montré. Ensuite, il se penche et commence à scanner les codes à barres des différents jouets qui se trouvent sur la première étagère du bas.

Paul dépose d'autres billets dans les autres sections et, cette fois-ci, nous n'hésitons pas à nous en emparer. Je me retrouve au bout de l'allée, un adolescent avec un t-shirt troué à ma gauche et personne à ma droite.

Je n'ai même pas commencé qu'une vieille dame s'approche de moi.

— Excusez-moi, je cherche un moule à muffins, comme dans l'annonce...

Elle cherche un moule à muffins ? Dans la section des jouets ? Vraiment ?

Pourquoi ne pas aller dans un magasin de vêtements pour y chercher des téléviseurs, tant qu'à y être ?

— Désolé, madame, je ne travaille pas ici.

Elle me regarde avec de gros yeux. Elle regarde les autres compteurs, dans la rangée. Elle me regarde à nouveau.

Visiblement, elle ne comprend pas.

— Je suis ici pour faire l'inventaire, madame, je ne travaille pas pour le Checkmart.

Elle fait un pas en arrière, puis un autre, tout en gardant ses yeux fixés sur moi, comme si elle s'attendait à ce que je lui saute dessus d'un instant à l'autre. Elle finit par partir, mais continue de jeter de fréquents coups d'œil derrière elle, probablement pour être certaine que je ne la suis pas.

Je n'avais jamais cru que j'aurais un jour un emploi où je pourrais faire peur aux vieilles dames. Ceci allait être plus amusant que je ne le croyais.

Bien que j'aie été retardé dans mon travail, je réussis à me rendre au milieu de ma section alors que mon voisin est encore tout en bas. Celui-ci se tourne vers moi.

— T'es donc ben malade !

Concentré comme je suis sur la machine et les nombreux « bip » qu'elle produit, je ne suis pas certain d'avoir bien compris sa remarque.

— Quoi ? dis-je.

— T'es vraiment malade. T'es super rapide !

— Ah !

Est-ce un compliment ? Un reproche ?

Je ne cours pas le risque.

— Merci.

Je continue de compter, mais il insiste.

— T'es une bête, mec ! C'est fou !

Je souris et je commence la dernière étagère du haut. Mon voisin en est rendu à sa deuxième.

— C'est quand même amusant, comme travail, tu ne trouves pas ?

— C'est mieux que d'écoeurer le monde au téléphone, dis-je.

— Ça c'est vrai !

Je termine ma section et prends le billet, qui est d'une couleur vert pâle. J'y inscris le nombre d'articles comptés (49), mes initiales (L.B.) et le numéro de ma machine (613).

Au même moment, Paul passe au milieu de l'allée.

— Allez, va falloir faire plus vite que ça ! J'aurais déjà fini la rangée à moi tout seul, à cette heure-là !

Il s'arrête devant moi.

— Qu'est-ce que tu fais ? T'as fini ?

— Ouais.

Il regarde mon billet en hochant la tête. Ensuite, il prend ma machine et appuie sur quelques touches.

— O.K., dit-il, viens.

Je le suis hors de l'allée, sans manquer de jeter un coup d'œil à la fille que j'ai remarquée tantôt. Je n'en suis pas certain, mais je crois qu'elle me regarde du coin de l'œil alors qu'elle disparaît de ma vue.

Paul et moi, nous nous rendons dans la section des vêtements pour femmes. Il me montre un présentoir rempli de pantalons.

— Pour les vêtements, il faut que tu scannes les items un par un. Sinon, c'est la même chose. De gauche à droite, de bas en haut.

Je lui fais signe que j'ai compris et il me tend un billet avant de s'éloigner.

Je regarde aux alentours pour être certain que la vieille dame n'est pas revenue. Il y a bien un couple, plus loin, qui essaie des chemises, un homme qui tire un enfant par la main dans l'allée et deux employés en veste rouge qui discutent en pliant du linge, mais pas de vieille dame.

Bien, je peux travailler tranquille.

Je scanne un premier pantalon, mais ma machine émet un bruit bizarre. Je regarde l'écran, sans comprendre, puis je me souviens que nous devons scanner le billet en premier.

Et maintenant, ça fonctionne.

Au fur et à mesure que les gens terminent leur section dans les jouets, Paul les guide jusqu'aux vêtements et il leur donne de nouvelles instructions. Il est en train de montrer comment faire à l'adolescent qui était mon voisin alors que je m'approche, ayant terminé de compter les pantalons (il y en avait 83).

J'attends encore que l'adolescent impressionné par mes talents comprenne le principe de scanner les articles un par un lorsque j'aperçois la fille un peu plus loin, en train de compter des chemises. Comme elle me tourne le dos, je ne peux pas plus voir son visage, ce qui me rend encore plus curieux.

Je suis en train de planifier une approche surprise qui me permettrait d'arriver en face d'elle en douce, mais Paul choisit ce moment pour m'aborder.

— T'as fini ?

— Ouais.

— Il y en a toujours un qui comprend plus vite que les autres. D'habitude, le reste du monde, c'est toujours de la merde.

Il me parle comme si nous étions de vieux amis et qu'il pouvait se confier à moi. Pourtant, moi, j'ai envie de l'envoyer promener et de lui dire qu'il est prétentieux et qu'il devrait faire attention à ses paroles.

— Le pire, continue Paul, est qu'il va quand même falloir qu'on les engage parce qu'on a trop besoin de monde. Quand on fait des gros magasins, on a besoin de plus de monde possible.

Il regarde les nouveaux en secouant la tête.

— C'est vraiment chiant, des fois.

Moi, je regarde la fille qui finit de compter ses chemises et qui s'approche de nous, l'air gêné. Lorsqu'elle arrive à notre hauteur, Paul la regarde dans les yeux.

— Quoi ?

— Heu… J'ai fini ma section, dit-elle, un peu ébranlée.

— Bravo ! Tu veux une médaille ? Louis, donne-lui une médaille !

La pauvre fille en a presque les larmes aux yeux. Elle se demande probablement ce qu'elle a fait de mal et ce qui peut bien causer cet excès de fureur.

Je suis moi aussi mal à l'aise, surtout que Paul m'a demandé de lui donner une médaille et que je ne sais trop comment réagir. D'un autre côté, j'ai enfin quelques secondes pour regarder le visage de la fille et je dois dire que je suis assez déçu. Non, en fait ce n'est pas vrai, je ne suis pas déçu, c'est que je m'attendais à mieux. Pas que c'est mauvais, au contraire, mais…

Je suis assez embêté, tout à coup. C'est comme lorsque je l'ai aperçue, un peu plus tôt, et que je n'ai pas eu envie d'enlever son linge. Lorsque je regarde son visage, je sais qu'elle est jolie, mais presque d'une manière platonique.

Moi-même, je ne comprends pas ce que je veux dire.

De toute façon, Paul la pousse vers une nouvelle section de vêtements et il lui donne un autre billet. Il m'oublie complètement et va ensuite voir un autre compteur qui semble avoir une question.

Je me sens encore mal, pour la fille. Je la regarde et je vois qu'elle n'est pas du tout à l'aise. Si je ne fais pas quelque chose, elle risque d'abandonner et de se trouver un nouvel emploi et je ne la reverrai plus. Je ne sais pas pourquoi, mais cette pensée me fait étrangement peur.

Pris d'une inspiration soudaine, je retourne vers mes pantalons et j'attrape mon billet. Au verso de celui-ci, je dessine une étoile en prenant mon temps. Je suis nul en dessin et je vois bien que mon étoile est ordinaire, mais elle va quand même me servir à atteindre mon objectif.

Je marche jusqu'à la section où se trouve la fille.

— Salut ! dis-je en souriant.

Elle lève les yeux timidement.

— Salut.

— Je peux pas te donner de médaille, mais je t'ai fait une étoile.

Je lui tends le billet et, pour la première fois, je la vois sourire. Pendant une fraction de seconde, au moment où mon attention est entièrement fixée sur ses lèvres, je ressens une folle envie de l'embrasser. Je me sens littéralement attiré vers l'avant et je dois me retenir pour ne pas succomber à la tentation.

Heureusement, je ne fais pas un fou de moi parce qu'elle bouge les lèvres et le charme est rompu.

— Merci, me dit-elle.

— De rien. Et ne t'inquiète pas pour Paul, c'est vraiment un con.

Elle sourit de nouveau. Cette fois, je ne ressens rien.

— Oui, t'as raison.

Elle semble soulagée, comme si elle avait cru être la seule à avoir remarqué que Paul était un être détestable.

Je me demande quel âge a cette fille. Je me demande d'où elle vient, aussi. Elle a des frères ? Des sœurs ? Un chien ? Un chat ? Des sous-vêtements avec la face d'Homer Simpson dessus ?

Je n'ai pas le temps de le lui demander, Paul nous crie de le suivre et d'apporter nos billets.

— Il vaut mieux y aller avant qu'il tue tout le monde.

Elle éclate de rire et je me sens comme si j'avais gagné aux olympiques.

— Je m'appelle Louis, en passant.

— Moi, c'est Karine.

On se serre la main et, étrangement, mes hormones restent endormies. Pourtant, sous cet angle, je la trouve finalement très belle.

Une fille me touche, en ce moment, et je ne ressens rien.

Je ne suis pas normal.

9

Apprendre à compter des vêtements (première partie)

DEUX JOURS APRÈS MA FORMATION, JE SUIS ASSIS SUR UN BANC À ATTENDRE, DANS UN CENTRE COMMERCIAL. Il est 7 h 43 du matin et, pour compagnie, j'ai un adolescent endormi à ma droite qui bâille toutes les cinq secondes et j'ai une femme plus âgée à ma gauche qui lit tranquillement un livre.

Je suis vêtu de l'habit réglementaire, c'est-à-dire d'un pantalon noir et d'une chemise blanche. Comme mes deux voisins sont habillés de façon identique, je peux dire avec certitude que ce sont des collègues qui, comme moi, aiment bien arriver en avance. Je leur ai dit bonjour lorsque je suis arrivé et on m'a répondu par un signe de tête et un grognement. Je ne peux pas vraiment leur en vouloir parce que moi aussi, à cette heure, je ne suis pas tout à fait éveillé et prêt à faire la conversation.

Devant moi, de l'autre côté de la grille, il y a trois employées en train de bavarder autour de la caisse enregistreuse. Comme aucune autre boutique n'est ouverte, j'imagine qu'elles se sont présentées à cette heure uniquement pour l'inventaire. D'ailleurs, j'en vois une qui bâille...

Alors qu'il ne reste plus que 13 minutes à brûler, je pense me glisser sous la grille pour aller me présenter aux trois filles. Nous pourrions nous glisser dans l'arrière-boutique et trouver quelque chose à faire pour passer le temps. Et je ne parle pas de jouer au Nintendo.

Un mouvement à ma gauche attire mon attention et je vois Hubert qui marche à toute vitesse, un sourire aux lèvres. Même à cette heure, il a l'air en pleine forme et prêt à attaquer la journée. En plus, il porte l'uniforme officiel et non un t-shirt troué, comme jeudi dernier.

Je me sens un peu soulagé de voir une figure familière, ce qui m'empêchera d'avoir l'air du petit nouveau qui ne connaît personne.

— Salut ! dit Hubert lorsqu'il arrive à ma hauteur.

— Salut !

Nous nous serrons la main, puis il se plante devant moi.

— Ça va, mec ? me demande-t-il.

— Ça va. Et toi ?

— Super ! Je ne savais pas que t'allais être là.

— Ouais. Je suis content que tu sois là aussi, au moins je connais quelqu'un.

Il hoche la tête.

— En plus, avec toi comme compteur, on va finir le magasin en 15 minutes !

— Je ne pense pas. Il paraît qu'on va en avoir pour l'avant-midi.

— Ils ont dit ça parce qu'ils ne savaient pas que t'allais être là.

J'éclate de rire.

— J'aime bien ton enthousiasme.

À ce moment, j'ai envie de lui taper sur l'épaule comme si nous étions deux vieux copains, mais ce serait assez difficile puisque je suis toujours assis et lui debout. D'ailleurs, la seule partie de son corps qui m'est facilement accessible présentement ne m'intéresse pas du tout.

— Je suis là pour te motiver ! dit-il. Je suis ton meneur de claques personnel !

— Je ne veux pas t'offenser, Hubert, mais ce n'est vraiment pas toi que j'aimerais avoir comme meneur de claques personnel.

Il éclate de rire.

Quant à moi, je regrette d'avoir pensé à cette partie de son corps, car maintenant je ne peux penser à autre chose.

Et les trois vendeuses qui ont disparu, tout d'un coup. Je fais quoi, moi, pour me changer les idées ?

— Ouais, O.K. ! Je ne suis pas offensé, je sais ce que tu veux dire ! C'est sûr qu'une meuf, ça serait vraiment mieux !

— Une quoi ?

— Une meuf !

Voyant que je ne comprends toujours pas, il précise :

— Une fille !

— Ah !

Les jeunes, aujourd'hui…

Au moins, il m'a fait me fixer sur autre chose que ses parties intimes.

…

Merde.

10

9 782896 070787

Apprendre à compter des vêtements (deuxième partie)

CINQ MINUTES AVANT L'HEURE PRÉVUE DE L'INVENTAIRE, NOUS SOMMES SIX À ATTENDRE. Nous sommes prêts à travailler, mais nous ne pouvons commencer sans le superviseur qui apportera les machines et qui posera les billets.

Soudainement, un bruit faible, mais régulier se fait entendre. Le bruit se fait de plus en plus fort jusqu'à ce que je voie le superviseur arriver au loin en traînant une valise sur roulettes et un sac sur son épaule. C'est un homme âgé d'au plus 25 ans que je ne connais pas encore. Contrairement à nous, il ne porte pas l'habit du compteur, mais il est plutôt vêtu d'un pantalon beige ainsi que d'une chemise bleu pâle.

— Salut les amis ! nous dit-il. Vous êtes prêts ?

— Ouais.

— Excellent ! Suivez-moi.

Il nous précède dans la boutique (après avoir soulevé la grille lui-même). Je marche à côté d'Hubert qui me donne un coup de coude et qui fait un signe du menton vers les vendeuses.

Il s'approche pour me souffler à l'oreille.

— Tu prends la vieille; moi, je prends les deux autres.

— Dans tes rêves, dis-je en riant.

— Dans mes rêves, elles sont pas deux, elles sont dix.

— Juste dix ?

Il éclate de rire à son tour.

Le superviseur s'approche des vendeuses pour leur tendre la main.

— Je m'appelle Dominic. C'est moi qui vais superviser l'inventaire aujourd'hui.

— Bonjour, répond la plus vieille, moi c'est Denise. Si tu as des questions, c'est moi que tu viens voir.

Elle ne prend même pas la peine de présenter les deux autres.

Dominic se tourne vers l'adolescent qui bâillait toutes les cinq secondes sur le banc (maintenant il le fait toutes les dix secondes, ce qui est une nette amélioration).

— Peux-tu démarrer les machines pendant que je m'installe, s'il te plaît ?

L'adolescent ouvre la valise et se met à sortir des machines. De toute évidence, ce n'est pas son premier inventaire.

Dominic sort un ordinateur de son sac et l'installe à côté de la caisse enregistreuse. Pendant que la machine se réchauffe, il se tourne vers nous.

— Est-ce que tout le monde a déjà compté dans une boutique de vêtements avant ?

Hubert et moi faisons signe que non. Nous sommes les seuls. Selon l'expérience vécue avec ce Frédéric Jobin de la formation, je m'attends presque à ce que Dominic nous crache au visage et nous dise de nous débrouiller seuls.

Pourtant, il garde sa bonne humeur.

— Parfait ! Quand je vais poser les billets tantôt, vous m'attendrez avant de commencer, je vais vous montrer comment faire.

Effectivement, deux minutes plus tard, il commence la pose de billets sur le mur à gauche de l'entrée. Sans attendre d'instructions, les autres compteurs s'avancent dans les sections, côte à côte. Lorsqu'il voit que tous les compteurs sont occupés, Dominic revient vers Hubert et moi.

— Bon ! Je vais vous expliquer comment ça marche. Au début, ce qu'on fait, c'est qu'on compte le périmètre du magasin. Une fois que c'est fini, on se retrouve tous au milieu. Normalement, on va de l'avant vers l'arrière. Ici, je sais qu'il y a une arrière-boutique ; ça fait que je vais sûrement envoyer quelqu'un là-bas aussitôt que possible parce que des fois, ça peut être long.

Il nous désigne un présentoir.

— Pour compter, c'est comme d'habitude. De gauche à droite, de bas en haut, et parce que c'est des vêtements, c'est du un par un. Pour les présentoirs en rond sur le plancher, il va falloir vous rappeler où vous avez commencé pour ne pas faire d'erreurs. Je vous conseille d'accrocher votre billet au premier morceau que vous scannez. Comme ça, vous savez quand arrêter.

Il nous regarde pour voir si nous avons bien compris. Je fais oui de la tête. Hubert ne bouge pas.

— De toute façon, si vous avez des questions, faut pas vous gêner pour venir me voir. Venez, je vais vous placer sur le mur.

Et il nous guide chacun dans une section. Sans plus tarder, je scanne le billet puis je me mets à sortir les étiquettes des jupes.

Hubert lui, scanne le billet, puis fixe les chandails, le regard vide.

Il se tourne vers moi

— Qu'est-ce que Dominic a dit, déjà ?

11

Apprendre à compter des vêtements
(troisième partie)

TROIS HEURES ET DEMIE PLUS TARD, JE TERMINE DE COMPTER LES ITEMS SUR UN PRÉSENTOIR EN ROND ET JE VOIS DOMINIC QUI ME FAIT SIGNE D'APPROCHER.

— On a fini, Louis. Viens, je vais te télécharger.

Contrairement à ce qu'il vient d'affirmer, ce n'est pas moi qu'il télécharge, mais plutôt les informations qui se trouvent dans ma machine. Comme Paul nous l'a expliqué lors de la formation, il transfère les données de ma machine dans une carte électronique, puis dans l'ordinateur portable. C'est de cette manière qu'il peut sortir un rapport contenant, entre autres, une liste de tous les articles du magasin.

Pendant que le transfert se fait de ma machine jusqu'à la carte, Dominic inscrit l'heure a laquelle j'ai terminé mon travail sur une feuille de présence. Je regarde ma montre et je vois qu'il a inscrit 11 h 45 alors qu'il n'est que 11 h 37. Pour huit minutes payées à ne rien faire, ce n'est pas moi qui vais me plaindre.

Notre superviseur sort la carte de ma machine et l'insère dans celle d'un autre compteur qui attendait.

— Tu peux ranger ta machine dans la valise, s'il te plaît ? me demande Louis.

— Ouais.

Au fond de la valise se trouvent des trous faits exprès pour les machines. Je pose la mienne dans l'un d'eux avant d'aller rejoindre Hubert qui est toujours en train de compter.

— Ça va ?

— Ça avance ! Pas aussi vite que toi, mais ça avance !

— Arrête, je n'étais pas si vite que ça.

— Ben voyons ! Tu n'as peut-être pas remarqué, mais c'est vraiment toi qui as fait le plus de sections. T'allais deux fois plus vite que tout le monde.

— En tout cas… Moi, j'ai fini, ça fait que je viens te dire salut.

Hubert s'arrête de compter un instant (bien qu'à première vue, on ne voit pas vraiment de changement, tellement il est lent à travailler).

— Attends ! Ça te dirait d'aller manger au resto avec moi ? Tant qu'à être ici à cette heure-là.

Je regarde ma montre. Je n'ai pas vraiment autre chose à faire de ma journée. De plus, je n'ai pas à ramener une voiture de bonne heure puisque je voyage en autobus.

Pourquoi pas ?

Je le regarde et j'attends une minute avant de me rendre compte que je n'ai pas posé la question à haute voix.

— O.K., dis-je. Pourquoi pas ?

— Excellent !

Je retourne m'asseoir sur le banc, en face du magasin. Évidemment, à cette heure, il y a de l'activité. Des clients se promènent d'une boutique à l'autre, d'autres marchent la tête basse, sans regarder autour d'eux. Chacun parle d'une voix forte pour se faire entendre, comme si la musique d'ambiance jouait fort alors que ce n'est qu'un murmure.

En plus, il y a plusieurs jeunes filles intéressantes qui me font tourner la tête et me demander pourquoi je ne viens pas plus souvent au centre commercial.

Cinq minutes après m'être assis, Hubert sort de la boutique en levant le pouce.

— Allons-y !

Nous montons au troisième étage où se trouvent la plupart des restaurants. Nous sommes presque arrivés quand Hubert me demande :

— Pis, Louis ! Qu'est-ce que tu fais dans la vie toi, à part les inventaires ?

— Ben, j'étudie au cégep, présentement. Je viens de finir ma deuxième session.

— T'étudies en quoi ?

— En sciences de la nature.

— Qu'est-ce que tu veux faire plus tard ?

Je pousse un long soupir.

— Je ne sais pas trop, en fait. Toi, est-ce que tu vas à l'école ?

— Pas pour l'instant. J'ai pris une année sabbatique pour penser, je ne sais pas trop ce que je veux faire.

— Ouais, je comprends.

À sa place, j'aurais pris une dizaine d'années sabbatiques pour penser parce qu'une seule ne sera pas suffisante.

Je commence à être injuste envers Hubert. Après tout, je l'aime bien. Il faudrait que j'arrête de l'insulter, au cas où il serait capable de lire dans mes pensées.

Nous nous arrêtons devant les restaurants. Il a toujours ce regard vide. Peut-il vraiment lire dans mes pensées ?

Hé ! Toi ! Regarde-moi !

Il me regarde.

— Subway, Ashton, Valentine… Qu'est-ce qui te tente ?

— Me semble que j'ai envie d'une poutine.

— Ashton dans ce cas-là !

Nous achetons de la poutine.

12

9 782922 225020

Apprendre à compter de la nourriture (première partie)

J'AI TRAVAILLÉ DANS TROIS AUTRES BOUTIQUES DE VÊTEMENTS APRÈS LA PREMIÈRE. QUAND J'AI REVU DOMINIC PAR LA SUITE, IL M'A PRIS À PART ET M'A DIT QUE J'AVAIS EU UN EXCELLENT RÉSULTAT LORS DU PREMIER INVENTAIRE. Il m'a dit que j'avais compté 566 articles et que la seule personne qui en avait fait plus était un employé qui avait trois années d'expérience.

Il m'a également dit qu'il avait parlé de moi au directeur et qu'on me ferait probablement travailler beaucoup plus que les autres nouveaux.

Bonne nouvelle pour moi.

Mauvaise nouvelle pour Hubert.

C'est probablement à cause de mes bons résultats que je me retrouve dans une épicerie (une pas très grande, heureusement) alors qu'Hubert est chez lui, dans son lit. Enfin, j'imagine, je ne le lui ai pas demandé.

Il est 6 h 52 du matin et je suis dans la salle de repos des employés. Il y a justement une femme avec un tablier bleu qui boit un café à une table en lisant le journal. Une autre entre dans la salle et achète un muffin de la machine distributrice.

Notre superviseur pour cet inventaire est Josée, celle qui était présente à mon entrevue (si on peut appeler ça une entrevue). Elle est présentement assise à une table, devant son ordinateur portable. Autour d'elle, il y a sept personnes habillées de pantalons noirs et de chemises blanches.

Je croyais l'équipe complète, mais je vois une autre personne entrer dans la salle. À mon grand plaisir, c'est Karine, la moitié des cheveux devant le visage, comme d'habitude.

Vu mon succès incroyable avec les filles, je me dis qu'elle va passer devant moi sans me voir. Pourquoi est-ce qu'elle se souviendrait de moi ?

Comme pour me faire mentir, elle me regarde et je vois son visage s'éclairer (probablement mon imagination). Même qu'elle se dirige vers moi et lève deux yeux timides vers les miens.

— Salut !

— Salut ! Ça va bien ?

— Oui, je vais bien. Un peu fatiguée, mais ça va.

Je lui souris.

— Ouais, à cette heure-là, je pense que c'est normal d'être fatigué. Faut pas être normal pour se lever de bonne heure de même.

— On ne doit pas être normaux, d'abord !

Au moment où je commence à former un semblant de lien avec une fille, voilà qu'une autre fille s'en mêle et gâche tout.

— Tout le monde est arrivé ? demande Josée. O.K., écoutez-moi !

On se rassemble autour de sa table pour écouter.

— On n'est pas pressés, alors prenez votre temps. La dernière fois on a eu des problèmes avec ce client-là, alors je veux que vous soyez précis, d'accord ?

Elle pointe une des employés, une Asiatique que j'évalue à 30 ou 31 ans.

— So, l'entrepôt est à toi, comme d'habitude. Tu peux y aller tout de suite si tu veux.

So (son vrai nom ?) sort de la salle de repos sans poser de questions. Une habituée, sans aucun doute.

— Est-ce que tout le monde a déjà compté une épicerie ?

— Non, dis-je.

Karine lève la main et fait signe que non avec la tête.

— Non, dit un autre que je ne connais pas.

— Je vais vous jumeler tous les trois avec quelqu'un qui va vous montrer comment ça marche, pis, si vous avez des questions, vous pourrez aller les voir. Vous pouvez me demander, aussi, si vous me voyez dans le coin.

Elle claque dans ses mains, mais il ne se passe rien de magique. Je suis déçu.

— O.K., venez avec moi !

Nous sortons de la salle des employés un par un. J'arrive à la porte en même temps que Karine et je fais un pas de côté pour la laisser passer.

— Après toi.

— Merci.

Je ne suis pas certain, mais je crois voir un sourire au coin de ses lèvres alors qu'elle passe devant moi et que je lui emboîte le pas.

Laisser passer Karine est une situation d'où je sors doublement gagnant. D'abord, elle voit que je suis un de ces rares gentilshommes qui sont encore galants avec les demoiselles.

Ensuite, je peux regarder ses fesses alors qu'elle marche devant moi.

13

Apprendre à compter de la nourriture (deuxième partie)

UNE HEURE APRÈS LE DÉBUT DE L'INVENTAIRE, J'EN SUIS ENCORE À ME DEMANDER COMMENT LES AUTRES FONT POUR ALLER AUSSI VITE. Au lieu de scanner chaque item, comme dans les boutiques de vêtements, il faut regarder la valeur de chaque item. On inscrit un montant d'argent dans la machine, puis le nombre d'articles. Je vois même une employée qui compte avec une calculatrice ordinaire et non avec une machine.

C'est simple, je trouve. Pourtant, je compte beaucoup plus lentement que les autres. En fait, non, je compte à la même vitesse que Karine et l'autre nouveau que je ne connais toujours pas.

Lorsque j'arrive dans une nouvelle section, je regarde l'employé, à ma gauche, qui compte des boîtes de conserve.

— Est-ce qu'il y a un truc que je ne comprends pas ? je lui demande. Vous allez vraiment plus vite que nous autres !

Il hausse les épaules.

— C'est normal, inquiète-toi pas. Ça vient avec l'expérience, tu vas voir. Au début, il faut que tu comptes avec les mains, en déplaçant la bouffe pour voir en arrière, mais à un moment donné, t'auras plus besoin de toucher, mais juste de regarder.

— Ah ! Vous comptez pas mal plus avec vos yeux ?

— Ouais, c'est pas mal ça.

— Après un certain temps est-ce que vous devenez tellement puissants que vous pouvez aussi déplacer les objets avec vos yeux ?

— Non, juste les compter.

Même pas l'esquisse d'un sourire. Je pense un instant lui demander s'ils peuvent aussi conduire ou cuisiner avec les yeux, mais il faudrait auparavant que je lui donne un cours de 35 heures sur le sens de l'humour et je n'ai tout simplement pas le temps.

J'essaie d'appliquer la technique de compter sans toucher, mais les items placés devant me cachent trop la vue et je finis par les bouger avec mes mains. Tant pis, la vitesse viendra avec l'expérience.

Je termine la première tablette lorsque Karine s'arrête à ma droite, dans la section suivante.

Je me désintéresse rapidement du compteur expérimenté à ma gauche et de la vitesse à laquelle je travaille.

— Ça va, tu t'amuses ?

— Oui, je m'amuse en malade.

Elle a un sourire en coin et elle lève les yeux au ciel lorsqu'elle répond.

— Ben voyons, ça pourrait être pire !

— Comment ? me demande-t-elle.

— On pourrait porter des chemises roses, à la place.

Elle rit. Je jubile, intérieurement.

— Parle pour toi, moi je suis une fille. Une chemise rose, ça m'irait bien.

— Ouais, O.K.

Nous comptons en silence pendant quelques secondes, puis elle me demande :

— Est-ce que toi aussi tu comptes pendant ton sommeil ?

— Oui, pis ça m'énerve ! Je me réveille au milieu de la nuit pis je compte des chemises, pis des gilets. En plus, là, je me dis d'arrêter pis de dormir parce que je suis pas en train de travailler, mais ça ne donne rien, je continue à compter des maudites jupes !

Elle éclate de rire.

— C'est la même chose pour moi ! Ça m'énerve aussi !

Elle sort une bouteille de ketchup pour regarder ce qui se trouve derrière.

À ma gauche, le compteur expérimenté termine sa section et s'éloigne, pas en marchant à une vitesse normale, mais en posant

rapidement un pied devant l'autre, pratiquement comme ceux qui font de la compétition
de marche rapide.

Je hausse les sourcils, me demandant s'il
se déplace ainsi pour sauver du temps et être
plus efficace. Voilà quelqu'un qui prend son
travail à cœur.

Je croise le regard de Karine qui hausse
aussi les sourcils. Je comprends qu'elle a vu la
même chose que moi et nous éclatons de rire.

Je suis rendu à la dernière tablette du haut
et je dois me mettre sur le bout des orteils pour
bien voir. Je bouge les items avec mes mains,
ne comprenant toujours pas la technique de
compter avec ses yeux.

Karine soupire de façon évidente.

— Tu ne trouves pas qu'on est beaucoup
plus lents que les autres ? me demande-t-elle.
Me semble qu'ils sont super rapides comparés
à nous autres.

— C'est normal, inquiète-toi pas, lui dis-je
d'un air savant. Ça vient avec l'expérience, tu
vas voir. Il faut que tu apprennes à compter
avec les yeux.

14.

Apprendre à compter de la nourriture (troisième partie)

J'INSCRIS 2,48 $ DANS LA MACHINE, PUIS JE COMPTE LES SACS DE BONBONS. IL Y EN A 11. Comme j'ai terminé la section, j'appuie sur le bouton « fin » et vois que le total que je dois inscrire sur le billet est de 845,69 $. Heureusement qu'il ne faut pas faire le calcul mentalement, sinon j'en serais encore à ma première section. Et Hubert serait sans emploi.

Pourquoi suis-je tout le temps méchant avec lui ? C'est une bonne personne !

J'appose aussi mes initiales avant de me retourner et de chercher du regard une section vide. À ce moment, le compteur expérimenté qui m'a donné des conseils un peu plus tôt passe devant moi et me fait signe de le suivre.

— Viens, dit-il. C'est fini, on peut s'en retourner.

Je le suis sans discuter. Afin de réussir à rester à sa hauteur, je dois presque courir.

Pourquoi est-ce qu'il insiste pour marcher aussi vite alors que nous avons terminé ?

Josée tourne la tête vers nous lorsque nous entrons dans la salle de repos.

— Ah ! Hughes, Louis. Asseyez-vous à une table, vous allez pouvoir aider.

Le dénommé Hughes s'assoit à une table et je prends celle à côté de lui.

Josée nous apporte une pile de billets. Elle voit que j'hésite et semble se souvenir que c'est ma première épicerie.

— Il faut que tu calcules le total de tous ces billets. Dans le fond, j'ai déjà fait le calcul une fois, mais il faut qu'on arrive au même montant deux fois. Tu comprends ?

— Oui, pas de problème.

Elle me tend une calculatrice.

— Tiens, prends ça.

Je prends et je compte. Billet après billet, je compte.

Lorsque je suis au milieu de la pile, Karine fait son entrée et je suis déconcentré pendant une seconde. Je me force à baisser les yeux et à tourner les billets.

— Karine, dit Josée. Tu peux fermer ta machine et la ranger, mais ne t'en va pas tout de suite, je vais te donner ton horaire pour demain.

Du coin de l'œil, je regarde Karine s'asseoir. Elle regarde vers moi et je détourne les yeux pour continuer à compter.

Lorsque j'ai fini la pile de billets, je me demande ce que je dois faire avec le total. Je décide de l'inscrire au verso du dernier billet, mais le montant y est déjà. Je comprends et fais plutôt un crochet à côté. Ce que je peux être lent, parfois ! Comme Hubert.

Je ramène le tout à Josée en lui disant que j'arrive au même total qu'elle.

Quelques minutes plus tard, lorsque l'équipe au complet se retrouve dans la pièce, Josée attire notre attention.

— Est-ce qu'il y en a qui ne sont pas au courant, pour le Big Shop de demain ?

Nous sommes quatre à lever la main.

— Demain soir à six heures, êtes-vous disponibles ?

Tout le monde répond par l'affirmative. Elle inscrit nos noms sur la feuille de présence. Je vois avec plaisir qu'elle inscrit aussi le nom de Karine.

— Parfait, vous pouvez partir ! Hughes, ne t'en va pas, j'ai quelque chose à te demander, pour demain. So, toi non plus.

— Je sais, répond cette dernière.

Je sors de la salle et fais exprès de ralentir mon pas afin que Karine me rattrape.

— Pis, ce n'était pas si pire que ça ? je lui demande.

— Non, mais j'aime quand même mieux compter des vêtements.

— C'est sûr que c'est plus facile.

— Oui, c'est vraiment plus amusant.

Nous sortons ensemble de l'épicerie. Je dois faire un pas de côté pour éviter un client qui entre par la sortie (connard !), puis je cours pour rejoindre Karine à qui je demande :

— Est-ce que t'es venue en auto ?

— Non, en autobus. Toi ?

— Ouais, j'ai l'auto de ma mère.

Nous nous arrêtons, au milieu du stationnement. Je pointe une Toyota.

— C'est celle-là, la mienne.

— O.K.

Elle ne rajoute rien, mais attend une seconde.

Je réalise que j'ai une opportunité en or, en ce moment même. J'ai une voiture, elle non. Ça ne prend pas un génie pour comprendre.

Je me demande comment lui faire la proposition. Est-ce que je dois le faire sérieusement ou avec humour ? Est-ce que je dois avoir l'air intéressé ou non ?

De toute évidence, le temps de réflexion a été trop long parce qu'elle me fait un signe de la main et me dit à demain. Avant que je ne puisse réagir, elle se retourne et se dirige vers l'arrêt d'autobus sans même jeter un regard derrière.

Frustré par ma passivité, je m'enferme dans la voiture de ma mère et je regarde Karine, au loin, qui attend l'autobus.

Pourquoi est-ce que je ne lui ai pas proposé de l'accompagner ? Pourquoi est-ce que c'est aussi difficile de parler aux filles ?

Là, dans la voiture, je me vois aussi clairement que possible courir vers Karine pour lui demander si je peux la ramener chez elle. Je la vois me sauter au cou et m'embrasser comme si la scène se déroulait devant mes yeux.

Mais je suis encore assis dans la voiture.

Je retourne à la maison.

15.

Apprendre à compter de la musique (première partie)

IL Y A UNE FAÇON ASSEZ PARTICULIÈRE DE FAIRE L'IN-VENTAIRE D'UN BIG SHOP. Les compteurs sont divisés en deux équipes. L'une fait l'inventaire de la section musique et films tandis que l'autre s'occupe du reste du magasin. En aucun temps un membre d'une équipe ne doit traverser de l'autre côté pour aider les autres, sous peine d'être abattu sur-le-champ par un garde armé. Si jamais l'un d'entre nous essaie de s'enfuir, on relâche les chiens qui nous dévorent tout entier. Bon, j'ai peut-être inventé la dernière partie.

Et j'ai l'air bien savant, comme ça, pour la première partie, mais en fait, je viens juste de me faire expliquer la procédure par Hughes qui est toujours aussi sérieux (il n'a même pas ri quand je lui ai parlé des chiens).

J'ai écouté et j'ai bien compris, malgré le fait que j'étais assez distrait, parce que, depuis que j'ai mis les pieds dans le magasin, je ne fais que surveiller l'entrée et attendre Karine.

— J'espère qu'ils vont me faire compter les ordinateurs, dit Hubert qui attend à mes côtés.

— Je ne suis pas sûr, ça vaut cher des ordinateurs. Moi, je ne te laisserais pas ça entre les mains, en tout cas.

— Ben, voyons, c'est quoi le pire qui pourrait arriver ?

Pendant qu'il me pose la question, il fait un grand geste de sa main et échappe son crayon qui vole au loin et heurte un autre compteur dans le dos (comme dans un film, tiens !).

— Ça, dis-je en riant.

— O.K. O.K. !

Hubert s'en va chercher son crayon et je le vois entrer en discussion avec le compteur qui a reçu le projectile.

C'est là que je l'aperçois, elle, qui entre dans le magasin. Je ne l'ai jamais vue avant, mais il me semble que je n'oublierai jamais son visage de ma vie.

Elle a de longs cheveux bruns qui lui arrivent au milieu du dos. Elle a un visage rond, délicat, clair, sans aucun défaut. Un nez rond placé au milieu du visage lui donne un air un peu enfantin, même si sa démarche manifeste clairement une confiance en elle qui ne peut appartenir qu'à une adulte.

Je baisse les yeux et peux dire avec certitude que je n'ai jamais vu silhouette plus attirante. Ses seins sont assez gros pour attirer le regard, mais pas assez gros pour lui causer des ennuis lorsqu'elle court. Elle porte un pantalon noir assez serré et je peux parfaitement voir le contour de ses fesses.

À ce moment, sans même que je m'en rende compte, je m'avance vers elle. Elle ne tourne pas son regard vers moi, ne me voit même pas. Doucement, je pose les mains sur son visage et me perds dans ses yeux marron et brillants. Lentement, je descends les mains sur son cou, puis sur sa poitrine. Je dois me mordre la lèvre pour ne pas lancer un cri de joie.

Je continue mon exploration et, au moment où je suis à genoux devant elle, Hubert me donne une claque sur l'épaule.

— Voyons, t'as donc ben l'air dans lune !

Je veux le frapper, l'injurier, mais je ne fais rien.

En fait, si, je me déplace un peu, de façon à cacher la bosse dans mon pantalon.

16.

Apprendre à compter de la musique (deuxième partie)

LE DIRECTEUR EN PERSONNE, UN GRAND BON-HOMME DÉNOMMÉ BERNARD LANGEVIN, NOUS DONNE LES INSTRUCTIONS POUR L'INVENTAIRE. Je ne l'avais jamais vu avant ce jour, mais Hughes me dit que celui-ci supervise réguliè-rement des inventaires.

Je n'écoute qu'à moitié, j'ai les yeux fixés sur le dos de l'inconnue aux cheveux bruns. Et quand je dis « sur le dos », je parle des fesses, bien sûr.

Je suis brusquement ramené à la réalité lorsque j'entends mon nom, prononcé par le directeur. Pendant une seconde, je panique, je me demande ce que je dois faire. Mais le directeur nomme d'autres noms et personne ne réagit, alors je me ressaisis un peu.

— Ceux que je viens de nommer, prenez les machines que Dominic va vous donner et sui-vez-le, vous allez compter la section musique.

Je fais ce qu'on me demande et, avec une joie immense, je vois que l'inconnue est dans mon équipe.

— Bon, dit Dominic, suivez-moi !

Avec sa joie de vivre habituelle, il nous guide vers la section qui nous a été assignée. Lorsque nous passons devant l'autre équipe, je fais un signe de tête à Hubert qui me répond de la même manière, mais en beaucoup plus lent.

Il est sympa, Hubert. Seulement, un jour, quand il va apprendre ce que je pense de lui, il va me frapper. Au moins, je vais amplement avoir le temps d'éviter le coup.

— Bon, ceux qui ne savent pas comment ça marche, c'est simple. On commence au bout de l'îlot, ici, pis on fait le tour, toujours par la droite. Après, vous vous déplacez à l'îlot suivant et vous recommencez de la même manière. On fait toujours de gauche à droite, de bas en haut. Ah ! Pis, c'est du un par un, dans la musique et dans les films, O.K. ?

Aucune objection.

— Excellent ! Vous pouvez commencer. Si vous avez des questions, je vais être en train de compter les comptoirs, là-bas.

Nous sommes huit dans l'équipe. Alors que chacun s'avance dans une section de l'îlot, je suis la fille aux cheveux bruns, en espérant me retrouver à côté d'elle. Je ne sais pas trop comment je m'y prends, mais me voilà séparé d'elle par deux autres compteurs.

Un peu découragé, je scanne le billet, puis jette un regard vers la gauche. Déjà, la fille semble être en grande conversation avec ses voisins.

Je scanne un premier disque.

— Allô !

Je sursaute. Je me tourne vers la droite et Karine est là, le sourire aux lèvres. J'étais tellement concentré sur l'inconnue que j'ai complètement oublié que j'attendais quelqu'un d'autre et que je ne l'ai même pas vue arriver.

Pire encore ! Je ne l'ai même pas vue se déplacer avec moi et les autres membres de mon équipe !

— Salut ! que je lui réponds en me sentant coupable. Tu sors d'où ? Je ne t'ai même pas vue arriver !

— Ça fait un bout que je suis arrivée, mais t'avais pas l'air tout là, je n'ai pas osé te déranger.

Nous continuons de compter les disques alors que nous parlons, en levant les yeux une fois de temps en temps.

— Ouais, je pensais à autre chose, excuse-moi.

— Pas grave ! Ça m'arrive d'être dans la lune, moi aussi.

Je termine la première rangée et je commence la deuxième. Karine est encore au milieu de la première. En regardant à ma gauche, je vois qu'un seul autre compteur en est à sa deuxième rangée.

— Pis, que je demande à Karine, qu'est-ce que tu fais dans la vie, à part le travail ?

— Ben, je fais un DEP en hôtellerie, présentement.

— Pour vrai ? Et t'aimes ça ?

— Oui, c'est bien.

Quelques secondes de silence.

— Pis toi, tu fais quoi ? me demande-t-elle.

— Je suis au cégep, j'étudie en sciences naturelles.

— Et ça fait quoi dans la vie, les sciences naturelles ?

Comme chaque fois qu'on me pose des questions sur mes études et sur mon avenir, je ne sais trop quoi répondre. Je décide d'être honnête.

— Je ne sais pas trop. Ça me donne plusieurs choix une fois que j'ai fini, c'est pour ça que je suis allé là-dedans.

— Je sais ce que tu veux dire, ce n'est pas facile de décider ce qu'on veut faire pour le restant de nos jours à notre âge, hein ?

— Effectivement, pas facile.

J'ai une opportunité ici d'être indiscret sans en avoir l'air, alors je continue de parler avant qu'elle ait une chance de changer de sujet.

— T'as quel âge, au fait ?

Pas 42, pas 42…

— Dix-huit, et toi ?

— Même chose.

Un rire aigu se fait entendre à ma gauche et attire mon attention. C'est la brune qui rit et qui pousse amicalement un autre compteur.

Qui est le salaud qui ose la faire rire ? C'est moi qui veux la faire rire !

Je me dirige vers ses voisins et les frappe avec la machine.

— Elle est à moi, bande de salopards !

Je leur donne des coups de pied alors qu'ils sont par terre. Lorsque j'en aurai terminé avec eux, la belle inconnue me sautera sûrement au cou, pour me remercier.

Évidemment, chaque fois que je commence à avoir du plaisir, il faut bien que quelqu'un s'en mêle.

— Il y en a qui ont du plaisir !

Je sursaute et je me tourne vers Karine.

Je l'avais encore oubliée, celle-là.

17.

Apprendre à compter de la musique (troisième partie)

UNE HEURE PLUS TARD, JE COMPTE TOUJOURS DES DISQUES COMPACTS. JE TIRE LE DISQUE VERS MOI, TROUVE ET SCANNE LE CODE À BARRES QUI SE TROUVE DERRIÈRE, PUIS JE PASSE AU SUIVANT. Ce n'est pas très difficile, je trouve. J'entends les autres se plaindre que c'est long et qu'ils sont fatigués, mais moi je ne vois pas le problème.

Vos gueules, bande de connards !

— On va avoir une pause bientôt, tu penses ?

Je regarde celui qui a posé la question, mais il regarde ailleurs.

Une pause après une heure ? Est-ce qu'il veut rire ?

Je commence ma deuxième rangée de disques lorsque j'entends des pas derrière moi. À mon grand bonheur, c'est enfin la fille aux cheveux bruns !

Je saute, je tape des mains, je chante !

Mais pas trop, tout de même, pour ne pas attirer l'attention.

Je gonfle mon torse légèrement, puis lui dis d'une voix grave et sensuelle :

— Ça va, ma belle ?

Mais sans le « ma belle » et le ton grave.

— Ça va. Je peux magasiner en même temps que je compte !

Elle rit. Je ris aussi, ça ne peut pas me faire de mal.

— Tu vois quelque chose que tu aimes ?

Je gonfle mes biceps devant elle, en lui parlant. Elle ne réagit pas.

— J'en ai trouvé une couple que j'aimerais acheter !

— T'as juste à ne pas les scanner, dis-je. Comme ça, tu vas pouvoir partir avec et ils ne sauront même pas qu'ils les avaient.

— Eille, ce n'est pas fou ça !

Je ne suis pas fou ! C'est le plus beau compliment qu'une fille dont on ne connaît pas le nom peut vous donner ! Ça et « étalon sexy ».

Ce qui me fait penser...

— Je m'appelle Louis, en passant.

— Moi, c'est Laurie.

Laurie ? Comme la chanteuse ?

— J'ai le même nom que la chanteuse, mais surtout ne commence pas à me dire que, si j'étais blonde, je lui ressemblerais parce que tout le monde me dit ça, pis ça m'énerve !

— Voyons ! Je n'y avais même pas pensé !

— Ah ! Toi, t'es gentil !

Je suis gentil ! Le plus beau compliment qu'une fille dont on vient de connaître le nom peut vous faire !

— Moi, je trouve que t'as plus l'air de Bruce Willis, lui dis-je.

Elle éclate de rire.

— Quoi ? Bruce Willis ? Tu me niaises ou quoi ? Il n'a même pas de cheveux !

— Ah ! O.K. ! Il n'a pas de cheveux ! Je dis que tu ressembles à un gars, pis le problème c'est qu'il n'a pas de cheveux ?

Elle rit encore plus et me pousse avec son épaule, amicalement.

Pour rire, j'ai envie de la pousser à mon tour, mais de toutes mes forces. Je ne le fais pas parce que, quand même, il faut que je mette toutes les chances de mon côté.

— T'es vraiment con ! me dit-elle.

Je suis con ! C'est le plus beau compliment que…

Non, attendez une minute !

Avant que je ne puisse répliquer, je sens qu'on me pince l'épaule. Je tourne la tête vers la gauche et vois une poignée de cheveux blonds disparaître. Je regarde à droite et fais signe à Karine que je vais me venger, plus tard.

Je suis Karine des yeux jusqu'à ce que je rencontre le regard de Laurie qui semble attendre une réponse de ma part.

— Quoi ? Je n'ai pas compris.

—J'ai dit que si moi je ressemble à Bruce Willis, ben toi, tu ressembles à Natalie Portman.

Je ris, mais en fait, je suis en train de me demander si je n'aurais pas mieux fait de lui donner une poussée.

18 ‖‖‖‖‖‖‖‖‖‖‖‖‖‖
9 782922 225372

Apprendre à compter de la musique
(quatrième partie)

JE DONNE UNE CLAQUE DANS LE DOS D'HUBERT.
— Est-ce qu'ils t'ont donné ton horaire pour demain ?

— Non, je ne travaille pas avant samedi.

— Ah ! On va se revoir samedi, d'abord.

Laurie s'approche en nous regardant. Évidemment, devant une telle beauté, nous cessons de parler et nous contemplons, en silence.

— Salut, Natalie !

— Salut, Bruce !

Nous la regardons sortir du magasin avec regret.

— C'était quoi, ça ? me demande Hubert.

— Une fille !

— Ta gueule ! Je veux dire, pourquoi est-ce que tu l'as appelée Bruce ?

— Ben, je la niaisais tantôt en lui disant qu'elle ressemblait à Bruce Willis.

Hubert me fixe d'un air absent.

— Si c'est comme ça qu'on pogne des filles astheure, je suis vraiment pus dans le coup.

— Penses-tu vraiment qu'une fille comme ça pourrait s'intéresser à moi ? Je n'ai aucune chance, voyons !

— Ben là, attends ! On ne sait jamais. Est-ce que t'es riche ?

— Non.

— Ouais, en effet, aucune chance.

Je jette un coup d'œil par la fenêtre. Mon père n'est toujours pas arrivé.

— Bon, dit Hubert, je vais y aller. À samedi !

— À samedi !

On se serre la main et il sort. Mon père n'est toujours pas arrivé et je commence à m'impatienter. Est-ce que je lui ai bien dit de venir me chercher au Big Shop ? Est-ce que je ne lui aurais pas plutôt dit au MacDonald ?

Non, je ne crois pas que j'aurais fait une telle bourde.

Je me mets à gratter la fenêtre avec mes doigts, un peu comme le ferait un chat ou un chien dans une animalerie. Je me dis que si quelqu'un passe et me voit, il trouvera peut-être que je fais pitié et il me ramènera chez moi.

Un mouvement attire mon regard et je vois la réflexion de Karine, dans la fenêtre. Elle s'approche et s'arrête à côté de moi.

— Salut, dit-elle.

— Salut.

— T'attends quelqu'un ou tu ne trouves plus la sortie ?

Je souris.

— Mon père vient me chercher. Toi, t'es toujours en autobus ?

— Toujours. Ou en taxi, des fois.

Je pourrais lui proposer de la ramener chez elle, mais est-ce que mon père serait d'accord ? Et puis, est-ce que je ne vais pas avoir l'air d'un perdant en la faisant reconduire par mon père ?

Il est temps que je m'achète une voiture. Et un bateau, pour l'été. Et un lac.

— Est-ce que tu travailles demain ? me demande-t-elle.

— Oui, il faut que je sois au bureau à six heures. Toi ?

— Moi aussi.

Une voiture familière s'avance et s'arrête directement devant la fenêtre. Ce n'est pas la voiture de mon père, c'est celle de ma mère.

— Mon chauffeur est arrivé.

— Vraiment ? C'est lui ton père ? Avec les cheveux longs et le maquillage, là ?

— Sexy, n'est-ce pas ?

— Est-ce qu'il est libre ?

Je la regarde avec de gros yeux.

— Vraiment ? Tu me demandes s'il est libre ?

Nous marchons ensemble vers la sortie.

— Aux dernières nouvelles, il sortait avec ma mère, une chauve avec une bedaine de bière.

— Méchante famille !

— Tu devrais voir mes sœurs !

— Qu'est-ce qu'elles ont, tes sœurs ?

— Rien, elles sont juste folles.

Nous nous arrêtons devant la voiture. C'est ma dernière chance avant qu'elle parte pour prendre l'autobus.

Est-ce que se faire conduire par sa mère est pire que par son père ?

Je n'ai pas besoin de réfléchir pour savoir que la réponse est oui, je m'abstiens donc de lui demander de monter.

— Bon, ben, à demain !

Elle me fait un signe de la main et s'éloigne d'un pas rapide.

Je monte dans la voiture en disant bonjour à ma mère. Alors que la voiture avance, l'image de Laurie flashe devant mes yeux et je me mets à baver d'envie.

J'appuie mon menton dans ma main droite et je regarde par la fenêtre. Mon regard est attiré par le rétroviseur et je vois Karine, au loin, qui continue de marcher.

Tiens, je l'avais oubliée, celle-là.

19.

Court voyage

PAS FACILE DE ME RÉVEILLER À CINQ HEURES DU MATIN LORSQUE JE VIENS DE ME COUCHER IL Y A QUELQUES HEURES SEULEMENT. Pas facile de convaincre mes parents de me conduire au bureau alors qu'ils travaillent tous les deux et me disent qu'ils n'ont pas le temps. Pas facile de convaincre le service d'autobus de commencer une heure plus tôt juste pour moi.

En fait, la seule chose que j'ai réussi dans cette liste, c'est de me lever à cinq heures. Au moins, lorsque je me suis assis à la table de cuisine, il y avait un billet de 20 dollars avec une note me disant d'appeler un taxi. Le numéro de téléphone était même fourni.

J'ai pensé réveiller mes parents quand même, pour leur demander s'ils ne voulaient pas appeler à ma place, mais j'ai pensé qu'ils n'apprécieraient pas ce genre d'humour.

Tout ça pour dire que je me suis rendu au bureau en taxi. Comme Karine, d'ailleurs, qui arrive en ce moment même. Après avoir payé, elle vient me rejoindre (au lieu d'entrer dans l'édifice, je suis resté dehors à attendre).

— Allô !

Elle a l'air un peu endormie, mais je ne peux pas vraiment le lui reprocher.

— Allô ! Bien dormi ?

— Oui, pas pire. Pas assez longtemps, par contre.

— Ouais, j'te comprends ! Toi aussi, tes parents ne voulaient pas te reconduire ?

— Euh… Ouais, c'est ça.

Elle a hésité avant de répondre, me donnant l'impression qu'elle ne veut pas aborder le sujet de ses parents. Je suis curieux, mais j'ai le sentiment qu'il ne faut pas insister.

— Il fait beau à matin, hein ?

— Oui, il fait super beau ! Sauf qu'ils disent qu'il va y avoir un orage cet après-midi.

— Encore ? Maudits orages ! Il y en a tout le temps !

Une voiture s'immobilise à quelques mètres de l'entrée seulement (le stationnement étant en grande majorité vide à cette heure).

Hughes sort du côté passager et une fille que j'ai vue hier, mais dont je ne connais pas le nom, sort du côté conducteur. Ils s'arrêtent à notre hauteur et tout le monde se salue.

— Êtes-vous nouveaux ? demande la fille que je ne connais pas encore.

— Ouais.

— Je m'appelle Lucie, pis vous autres ?

Nous nous présentons.

— Vous devez être pas pires parce qu'on est juste huit, ce matin.

Je regarde Karine et hausse les épaules.

— Pas pires, j'imagine.

La porte de l'édifice s'ouvre soudainement et Dominic sort la tête.

— Salut les amis ! On a besoin de bras, ça vous tente, les gars ?

Je devrais être insulté par le sexisme qu'il vient de manifester, mais je ne fais que penser que c'est une excellente occasion de montrer à Karine et Lucie combien je suis fort et puissant ! Ou comment je ne suis ni fort ni puissant, plutôt.

Finalement, ce n'est peut-être pas une bonne idée.

Hughes et moi suivons Dominic quand même.

— C'est parce qu'il faut transporter les machines, les ordis et les imprimantes. Pas que c'est bien lourd, mais j'ai juste deux bras.

Nous entrons dans le bureau et je retiens un cri d'horreur lorsque je vois Paul au téléphone. Aussitôt que nous entrons, il raccroche et se lève.

— Je vais aller avancer la camionnette, dit-il.

Sans nous demander notre avis, il sort. Je ne le connais pas encore beaucoup, mais assez je crois pour comprendre qu'il ne fait que se sauver pour ne pas avoir à traîner une valise. Salopard !

Hughes prend la valise qui contient l'imprimante et me dit d'apporter celle contenant les machines. Dominic prend un sac et quelques autres trucs. Il nous fait signe de sortir, engage le système d'alarme et ferme la porte à clé.

Nous sortons et nous nous dirigeons à l'arrière du camion que Paul a temporairement stationné devant l'entrée.

— C'est correct, les gars, dit Dominic. Je vais m'occuper du reste, vous pouvez aller vous asseoir.

Je lui laisse la valise et je suis Hughes. La camionnette offre huit places (deux places en avant et deux rangées de trois places en arrière) et il ne reste que deux sièges libres, l'un dans la rangée du milieu et l'autre dans celle du fond. Hughes s'assoit à côté de Lucie et me laisse la dernière place libre, dans la rangée du milieu.

À ma grande surprise et, surtout, mon grand plaisir, c'est à côté de Bruce Willis que je prends place.

— Natalie, me dit-elle.

— Bruce.

Je me penche pour dire bonjour au gars près de Laurie, mais celui-ci a des écouteurs sur les oreilles et regarde dehors. Je tourne la tête et je souris à Karine, coincée en arrière du camion. Elle me jette un coup d'œil, puis retourne à sa conversation avec Lucie.

Dominic s'assoit en avant, à côté de Paul, et nous voilà partis.

— Pis, me demande Laurie, comment tu trouves ça te lever à cette heure-là pour aller travailler ?

— C'était facile, je savais que t'allais être là, ça fait que j'étais super motivé.

— Bon !

Elle rit et me pousse avec son épaule. Dans ma tête, je me vois répondre à sa poussée par un violent coup de coude au visage, mais je m'abstiens. Je ne sais pas pourquoi elle me fait penser à ce genre de situation. Pourtant, lui faire mal est la dernière situation que je voudrais vraiment. Si nous étions seuls, dans le camion, je pourrais être en train de me faire larguer en ce moment même.

— Est-ce que c'était la même chose pour toi, ce matin ?

— Tu veux dire si je me suis levée en pensant à toi ?

— Ouais.

— Pas vraiment, non.

Elle m'énerve, celle-là.

20

Apprendre à compter des médicaments (première partie)

Quelques minutes avant sept heures, Hughes et moi nous sortons du camion pour aider Dominic à porter les valises. Paul se tient un peu à l'écart et semble impatient. Vu son habillement, je vois bien que c'est lui qui va superviser l'inventaire et, pour la première fois de ma vie, je comprends ceux qui se suicident.

Lorsque je passe à côté de Paul, j'ai envie de prendre mon élan et de lui asséner un coup de valise sur la tempe. Je me retiens, le temps de trouver un moyen de faire passer le tout pour un accident.

Paul frappe à la porte de la pharmacie. Il n'attend même pas cinq secondes, puis frappe à nouveau.

— Envoyez ! dit-il. Pas de temps à perdre.

Je regarde Karine avec de gros yeux et elle me fait un signe de tête pour me dire qu'elle est d'accord.

Quelqu'un ouvre la porte et nous dit bonjour avec une bonne humeur assez visible.

Je murmure à l'oreille de Karine, pour l'amuser :

— Toi, tu crées une diversion. Moi, je sacre un coup de valise à Paul.

Elle met une main devant sa bouche pour ne pas rire trop fort. Ce que je peux être génial, parfois !

Nous entrons et allons jusqu'à la salle des employés où Dominic installe l'ordinateur et l'imprimante, pendant que Paul le regarde d'un air hautain. Il le prend pour son esclave ou quoi ?

Oh ! mon Dieu ! Il nous prend tous pour ses esclaves ! Il va nous suivre à travers le magasin et nous fouetter pour aller plus vite !

— Bon, dit Paul. Je n'ai pas envie de rester icitte toute la journée, ça fait que je ne veux voir personne niaiser. Ce n'est pas une grosse pharmacie, normalement on devrait avoir fini à dix heures.

— Moi, je dirais qu'on va plutôt avoir fini vers onze heures, dit Dominic.

— Si vous ne vous mettez pas les doigts dans le nez, on va avoir fini à dix heures. Sui-vez-moi, on va commencer.

Paul sort, mais personne ne bouge. On regarde Dominic.

— Attendez-vous à finir vers onze heures, dit-il. O.K., on peut y aller !

Nous sortons.

21

Apprendre à compter des médicaments (deuxième partie)

JE SCANNE LE CODE À BARRES DE LA BOUTEILLE D'ASPIRINE ET J'INSCRIS SEPT DANS LA MACHINE. J'aime bien que l'espace entre les tablettes soit assez grand pour que nous puissions compter sans avoir à déplacer tous les items.

Il est déjà neuf heures et Paul ne cesse de nous rappeler d'aller plus vite lorsqu'il passe derrière nous. Au moins, il ne nous fouette pas. Pas encore.

— Allez, bande de lâches ! Plus vite !

Je ne sais pas où il a appris à motiver ses troupes, mais ce n'est sûrement pas dans une bonne école.

Vu la manière qu'il a de regarder sa montre toutes les dix secondes, j'ai l'impression qu'il va perdre son pari et que nous allons finir plus tard qu'il ne l'avait espéré.

Tant pis pour lui. Il peut s'attendre à ce que je lui fasse ma danse de la victoire pour le narguer.

Il va falloir que je me trouve une danse de la victoire avant la fin de cet inventaire.

— Karine, envoye ! Pourquoi tu ralentis, là ?

Celle-ci se retourne pour s'expliquer, mais Paul a déjà disparu. Pendant une seconde, Karine est désorientée et ne sait plus quoi faire. Puis, elle croise mon regard et je lui souris en faisant un signe de la main signifiant que Paul est fou. Elle hausse les épaules en riant. Ce n'est que lorsqu'elle recommence à travailler que je me remets moi-même au boulot.

— Est-ce que tu vas au cinéma, des fois ?

À ma gauche, Laurie a complètement arrêté de compter et elle attend une réponse.

— Oui, des fois.

— Est-ce que t'as vu le dernier James Bond ?

— Non. Est-ce que c'est bon ?

— Je sais pas, je l'ai pas vu. Mais j'aimerais ça le voir.

Je termine d'inscrire les renseignements requis sur le billet avant de lui lancer, comme ça :

— On ira le voir ensemble, si tu veux.

Et je m'éloigne en constatant que la prochaine section de libre est celle qui se trouve à côté de Karine.

— O.K., dit Laurie.

Je m'arrête sec, si sec que, si quelqu'un m'avait suivi, il se serait cassé le nez contre ma tête.

Est-ce qu'elle vient d'accepter de sortir avec moi ?

Je me retourne pour lui poser la question, mais Laurie compte et ne me regarde plus. Alors que je me pose toujours la question, Hughes arrive de son pas rapide qui ressemble plus à du jogging qu'à de la marche.

— Ça va ? me demande-t-il sans s'arrêter.

Je le suis et je prends la section à côté. Alors qu'il scanne les codes à barres et inscrit les chiffres dans la machine à la vitesse de l'éclair, il me questionne à nouveau :

— Qu'est-ce que t'as ?

— Rien, ça va.

J'essaie de me concentrer sur les médicaments, mais ce n'est pas facile. Mes pensées me ramènent toujours à Laurie et l'ouverture sur le devant de sa chemise.

— Lucie va faire une fête, samedi.

Je ne suis pas trop sûr d'avoir compris et je le fais répéter.

— Samedi, après le Toysbarn, Lucie invite du monde chez elle.

— O.K.

Qu'est-ce que je peux répondre d'autre ? Qu'est-ce que ça peut me faire ce qu'elle va faire samedi ?

— Est-ce que tu vas venir ?

Je me sens bête, tout à coup, de ne pas avoir compris avant.

— Ah ! Ouais, pourquoi pas ? Si je suis invité.

— C'est sûr, tout le monde va être invité.

Est-ce que « tout le monde » inclut Laurie ? J'aimerais bien la voir en jupe ou en jean serré.

Qu'est-ce que je dis là ? J'aimerais bien la voir sans une jupe ou sans jean serré.

— Et toi ? demande Hughes à Karine. Est-ce que tu vas venir, samedi ?

— Ben, ça dépend. Est-ce que je peux venir avec mon petit ami ?

J'accroche une bouteille qui tombe et, en essayant de corriger mon geste, je manque d'échapper ma machine que je rattrape au dernier instant.

22

Apprendre à compter des médicaments (troisième partie)

SON PETIT AMI ? POUR QUI ELLE SE PREND, CELLE-LÀ ? ELLE N'AURAIT PAS PU ME LE DIRE AVANT ? C'est moi qui ai l'air d'un phénomène, encore une fois. Le reste du monde se retrouve et s'accouple alors que moi je reste seul dans mon coin à m'apitoyer sur mon sort.

Quelle vie de merde !

Laurie passe derrière moi, ses cheveux bruns volant derrière elle, lui donnant un air étrangement sensuel (il est vrai que, à mon âge, même une culotte de grand-mère pourrait donner un air sensuel). J'imagine que, tôt ou tard, je vais apprendre qu'elle aussi est prise.

Bien sûr qu'elle en a un ! Je devais vraiment être niais pour croire qu'une fille comme elle pouvait être célibataire ! À quoi est-ce que je pensais, au juste ?

Un, deux, trois, quatre, cinq, six, sept, huit. Huit fois trois égalent 24. J'inscris 24 dans la machine. Saleté d'inventaire.

Et Lucie, alors ? Est-ce qu'elle est célibataire ? Bien sûr que non ! Il ne reste que moi de célibataire dans le monde entier. Je suis le dernier. Je suis damné.

Josée est un peu plus âgée, alors elle doit être mariée et avoir trois enfants.

Et ce salaud de Dominic, il doit avoir un harem chez lui !

Je viens d'aller trop loin, je crois, Dominic n'est pas vraiment un salaud. Même que je l'aime bien et que j'espère qu'il a un harem chez lui.

J'espère qu'il m'invitera à le visiter !

Un, deux, trois, quatre, cinq, six. Six fois quatre égalent 24. Moins trois espaces libres. J'inscris 21 dans la machine.

Est-ce que Paul a une blonde, lui ? Est-ce que Frédéric Jobin, ce connard, est aimé par une fille ?

Si oui, alors il n'y a vraiment pas de justice dans ce monde. J'ai vu beaucoup d'êtres minables avec des filles, mais il y a des limites, tout de même. Un être exécrable tel que lui ne devrait même pas être regardé par les filles.

La manière qu'il a de traiter Karine me fait vomir.

Karine…

Pourquoi est-ce que je suis aussi en colère, au juste ? Je suis habitué, chaque fois que je rencontre une fille intéressante, elle est déjà prise.

Les filles, elles aiment bien le dire qu'elles ont des petits amis. Laurie, elle, n'a jamais parlé de ce genre de choses.

Il faut que je me calme. Tant que je n'ai pas de preuves que Laurie est prise, il faut que je garde mon calme. Je veux des photos, des témoignages, des reçus, n'importe quoi ! Il me faut des preuves !

De toute façon, je vais le savoir assez rapidement, elle va sûrement venir à la fête samedi soir.

Me remettre au travail, calmement.

Un, deux, trois… Non, mais, qui c'est qui a foutu le bordel sur cette tablette ? Comment voulez-vous que je compte, moi, si les produits sont mélangés ? On ne fait pas le ménage dans cette pharmacie ?

23

Apprendre à compter des médicaments (quatrième partie)

PAUL INSÈRE LA CARTE DANS MA MACHINE POUR TÉLÉCHARGER LES DONNÉES. Je le regarde de haut, moi debout et lui assis devant l'ordinateur, et au moment où il s'y en attend le moins, je passe à l'attaque.

J'agrippe sa tête et la cogne contre le clavier de l'ordinateur plusieurs fois de suite.

— Prends ça !

Je le fais tomber par terre, attrape la chaise et la brise sur son dos. Je lui donne des coups de pied dans les côtes alors que tout le monde derrière moi applaudit.

— Il est quelle heure, Paul ?

Je prends l'ordinateur portable et l'approche de son visage. Le clavier est détruit, mais l'écran fonctionne encore.

— Il est quelle heure, hein ? On va finir vers dix heures que tu disais, hein ? Ben, j'ai des nouvelles pour toi, le cave, il est passé onze heures ! Qu'est-ce que tu dis de ça ?

Je lui casse l'écran sur la tête en riant.

Il me redonne ma machine et fait signe au suivant. Je m'adosse au mur, à côté de Karine.

— À quoi tu pensais ? me demande-t-elle.

— Quand ça ?

— Là, pendant que Paul téléchargeait.

— À rien de particulier, pourquoi ?

— Je ne sais pas, t'avais l'air sur le bord de lui en sacrer une.

— Et toi, tu pensais à te faire un petit ami ? Tu n'as rien à répondre, n'est-ce pas ?

Bien sûr qu'elle n'a rien à répondre, idiot, tu as posé la question dans ta tête.

Karine a les yeux rivés sur la valise qui contient les machines. Enfin, je crois que c'est ce qu'elle regarde, ses cheveux cachent la plus grande partie de son visage. Je me demande à quoi elle pense en ce moment. Si j'étais comme Mel Gibson, dans ce film pourri où il entend tout ce que disent les femmes, je pourrais entendre ses pensées. Faudrait que je trouve un moyen…

Peut-être que réécouter le film me donnerait des idées ?

Karine a toujours la tête basse. Est-ce qu'elle pense à son ami ?

Lucie dépose sa machine et nous regarde en souriant.

— Paul te demande de rester pour l'aider à rapporter le stock dans la camionnette.

— Évidemment.

Elle se tourne vers Karine.

— Nous autres, on n'est pas obligées de rester, est-ce que ça te tente d'aller attendre dehors ?

— Oui, pourquoi pas ?

Elles sortent pendant que j'ai les yeux posés sur leurs fesses. C'est fatigant, à la fin, d'être un adolescent guidé par ses hormones : il faut toujours guetter les occasions comme celles-là.

D'ailleurs, la moitié du groupe sort et il ne reste que Paul, Dominic, Hughes et moi. Pendant que Paul imprime les rapports qu'il doit remettre à la direction, nous discutons de la fête qui aura lieu samedi prochain.

— Normalement, tout le monde devrait être là, dit Hughes. Même le directeur, Bernard, va être là. Tu ne le connais pas encore, mais tu vas voir, il est comme nous autres.

Je hoche la tête.

— Est-ce que... Paul (que je pointe) va être là ?

Dominic éclate de rire.

— Oui, mais tu vas voir, ça ne sera pas si pire.

Nous tournons la tête vers le superviseur, mais il imprime toujours et ne se rend compte de rien. Salopard.

— Laurie va être là aussi.

— Ah !

J'essaie d'avoir l'air nonchalant, mais j'ai de la difficulté à ne pas sauter de joie.

— Tu vas voir, Laurie, c'est une méchante bête !

— Ce qui veut dire ?

— Ben, elle sait comment s'amuser !

Je me demande comment je peux leur demander si elle est célibataire sans avoir l'air suspect.

— En plus, elle est célibataire !

Voilà, c'était facile.

24

Voyage de retour

QUAND, FINALEMENT, NOUS SORTONS DE LA PHARMACIE, IL EST PRESQUE MIDI ET MON VENTRE CRIE FAMINE. J'éliminerais bien Paul pour le faire cuire et manger sa viande, mais je vais probablement être malade. Très malade.

Je prends la même place qu'à l'aller dans le véhicule, mais je me retrouve à côté de Karine qui a changé de place avec Laurie.

Étrange.

— Allô ! dis-je.

— Allô !

— J'ai faim.

— Moi aussi.

C'est probablement la conversation la plus intellectuellement avancée que j'ai eue jusqu'à maintenant.

Dominic claque la porte et donne le signal de départ à Paul. Le véhicule se met en marche.

— J'ai peur, dis-je.

— Moi aussi.

Je la regarde.

— Toi aussi ? T'as peur pourquoi, toi ?

— Toi, t'as peur pourquoi ? C'est toi qui l'as dit avant !

Je me penche pour murmurer dans son oreille.

— C'est Paul qui conduit. On va tous crever ! Et j'ai aussi peur des grands espaces.

Elle se penche vers moi.

— Moi aussi ! Sauf pour les grands espaces, moi, je suis normale.

Je lui donne un coup de coude. Pas vraiment un coup, en fait, plus une bourrade. Pas violemment au visage, comme je me le suis imaginé.

Qu'est-ce que j'ai à toujours me visualiser en train de brutaliser tout le monde ?

— Est-ce que tu veux jouer à un jeu ? me demande-t-elle sur un ton de voix normal.

— O.K. À quoi ? Au hockey ? Au soccer ?

— Ben non, innocent ! Tu n'as pas de quoi écrire avec toi ? On pourrait jouer au Tic-Tac-Toe, ou bien à Puissance 4.

— Puissance 4 ? Le jeu où il faut faire des lignes de quatre jetons, là ?

— Ouais !

— Comment tu fais pour jouer ça sur papier ?

— Je vais te montrer. T'as une feuille ?

— Non, juste un crayon.

Nous regardons partout et c'est Karine qui aperçoit une pile de billets non utilisés.

— Tiens, je vais te montrer.

Elle dessine un rectangle contenant sept rangées et sept colonnes. Si moi, j'avais fait ce dessin, sans règle, le rectangle aurait été bâclé. Pourtant, le sien est parfait.

Je me demande si elle dessine souvent. J'aimerais bien voir quelques-unes de ses œuvres.

— Avec des crayons fluo ça irait mieux, mais on n'a qu'à faire des formes différentes.

— Je comprends !

Elle fait un « X » dans une case.

— Bon, dis-je, je vois que tu y vas assez simple. Moi, par exemple, je vais dessiner un animal différent pour chaque case.

— Un animal ? Premièrement, tu ne seras jamais capable de dessiner un animal dans une case aussi petite et, deuxièmement, ça va prendre deux heures pour jouer une partie.

— Ben non, tu vas voir !

Je choisis une case et y dessine un point noir, juste un peu plus gros qu'une mine de crayon.

— C'est quoi ça ? me demande-t-elle.

— Un léopard vu de loin.

— Ah !

Elle fait un autre « X » sans plus de commentaires. Je ne peux pas vraiment la blâmer, je viens de lui faire une blague que seul un autre gars aurait trouvé drôle. Ou une fille saoule. Y a-t-il de l'alcool à bord ? Il faudrait que je pense à en apporter la prochaine fois.

Nous continuons de jouer et elle me bat à plate couture, utilisant des stratégies dont j'ignorais l'existence pour un jeu aussi simple.

— Coudonc, dis-je, est-ce que tu joues à ça tous les soirs ?

— Oui ! Je fais des tournois internationaux !

Je me demande un instant si elle est sérieuse, mais elle me regarde avec ce sourire en coin qu'elle a souvent et je comprends qu'elle se moque de moi.

Je me retiens pour ne pas ouvrir la porte et la lancer à l'extérieur (sérieusement, je crois que j'ai besoin d'une thérapie pour restreindre cette violence en moi) et j'éclate de rire.

— Gagner des tournois de Puissance 4, il y a de quoi être fière !

— J'ai dit que j'y participais, je n'ai jamais dit que je gagnais.

— C'est encore pire !

Nous jouons encore quelques parties au cours du trajet. Elle en gagne cinq et moi une seule, et ce, simplement parce qu'elle était dans la lune et qu'elle a fait une erreur. Si jamais, un jour, on m'invite à participer à un vrai tournoi de ce jeu, je sais qui je vais inviter pour m'accompagner.

Et si jamais un jour on m'invite à participer à l'émission de télévision des pires conducteurs canadiens, j'inviterai Frédéric Jobin à prendre ma place; cet idiot vient de se stationner à moitié sur le trottoir juste en face du bureau.

Tiens, nous sommes arrivés. C'est étrange, mais j'ai complètement oublié de m'obséder avec le temps alors que je jouais avec Karine. Nous ne nous connaissons que depuis quelques jours et déjà elle essaie de me changer complètement. Elle m'étouffe, à la fin !

Non, je blague, j'aime bien passer du temps avec elle.

Voilà que je me conte des histoires, maintenant. Elle s'en vient, cette thérapie ?

Hughes et moi, nous aidons Dominic à rentrer les valises alors que Paul tient les portes. Tout de même, c'est mieux que ce qu'il a fait pour nous ce matin.

Hughes et moi sortons, laissant les deux autres derrière nous pour faire leur travail de superviseur, je suppose. Nous retrouvons Karine et Lucie qui nous attendent dans le hall, car il s'est mis à pleuvoir et nous pouvons voir des éclairs, au loin.

— Ça vient de commencer, dit Lucie.

— Ça va être génial retourner chez moi en autobus, dis-je.

— Tu n'as pas d'auto ? demande Hughes.

— Non. Des fois, j'emprunte celle de ma mère ou de mon père, mais ils travaillent aujourd'hui.

— T'habites dans quel coin ?

Je lui dis où.

— Pour vrai ? T'habites vraiment proche de chez nous ! Embarque, on va aller te reconduire.

— Super ! Merci !

Ces deux-là viennent de faire la liste des personnes les plus géniales de tous les temps.

Note à moi-même : faire une liste des personnes les plus géniales de tous les temps.

Lucie se tourne vers Karine.

— Toi, t'habites où ?

— Moi ? Je viens d'appeler un taxi, alors…

— Pas grave ça ! T'habites où ?

— Ben… Je suis à Vanier, coin boulevard Hamel et Marie-de-l'Incarnation.

— Ce n'est pas loin ça non plus ! Viens, on va aller te reconduire.

— Mais, mon taxi…

— On s'en fout ! Il va virer de bord, c'est tout.

Finalement, Karine hausse les épaules.

Quelle journée merveilleuse ! Je vais apprendre où habite Karine et je vais pouvoir être l'un de ces pervers qui observent les gens par la fenêtre, la nuit !

Bon, enfin, je ne pourrai jamais faire une chose pareille. Il faudrait que je réfléchisse à quelque chose de charmant que je pourrais faire avec cette information. Charmant et illégal, pour que ce soit plus excitant encore.

J'ai amplement le temps d'y penser, je vais savoir où elle habite !

25

Apprendre à compter des jouets (première partie)

J E NE SAIS PAS OÙ HABITE KARINE. JE SAIS DANS QUEL IMMEUBLE, OUI, MAIS IL DOIT BIEN Y AVOIR DES CENTAINES DE LOGEMENTS, LÀ-DEDANS. COMMENT SAVOIR LEQUEL EST LE SIEN ?

Impossible. À moins d'entrer et de frapper à toutes les portes, ce qui n'est quand même pas une mauvaise idée… Peut-être qu'une dame ayant perdu son mari me ferait entrer pour que je l'accompagne dans sa tristesse. Et dans son lit, évidemment.

Il faut bien qu'il m'arrive quelque chose d'intéressant un jour.

En attendant, je suis là, dans la salle des employés du Toysbarn, à attendre que l'inventaire commence. Je sens qu'il ne sera pas facile de rester concentré, vu la fête chez Lucie après. Bien que le magasin soit assez grand, on m'a dit que nous serions sortis à neuf heures du soir au plus tard. L'entrepôt ayant déjà été compté durant la journée, il ne reste plus que le magasin.

Pour l'instant, nous sommes seize compteurs, et il doit en arriver encore…

Oh ! voilà Laurie qui s'amène ! Ce qu'elle peut être séduisante avec son uniforme de commis à l'inventaire (voilà quelque chose que je n'aurais jamais pensé dire un jour).

Je me précipite vers elle.

— Salut beauté ! Ne restons pas ici avec ces crétins !

Je la prends dans mes bras.

— Tiens-toi bien !

Je m'envole en défonçant le toit tout en la protégeant avec mes incroyables muscles pour ne pas la blesser.

— Oh ! Louis ! me dit-elle. J'attends ce moment depuis des années !

— Et moi donc, ma belle. Et moi donc !

J'atterris sur la plus haute bâtisse que je peux trouver et la dépose.

— Observe-moi ce paysage, poupée ! N'est-ce pas magnifique ?

— Je me fous du paysage, c'est toi que je veux !

J'avais la sensation qu'elle allait me dire quelque chose de semblable.

Je passe mes bras autour de sa taille et l'attire contre moi.

— Mon Dieu ! Tu es si belle !

— Est-ce que tu vas chez Lucie, tantôt ?

— Ne change pas de sujet, ma belle.

— Quoi ?

Bravo ! Pendant que je fantasmais sur elle, elle s'est vraiment approchée de moi et m'a posé une question. Quel imbécile je fais !

Maintenant, il s'agit de savoir quelles phrases exactement j'ai dites à voix haute. Elle me regarde avec de gros yeux. Elle a l'air d'attendre une réponse.

— Oui, dis-je, c'est sûr que j'y vais.

Elle me sourit. Victoire ! Un à zéro pour moi ! Dans les dents !

— Tu voyages comment pour y aller ?

— J'ai l'auto à ma m… J'ai mon auto.

— Vraiment ? Peut-être qu'on pourrait y aller ensemble.

Ça dépasse tout ce que j'ai imaginé jusqu'ici ! En fait, ça ne s'en approche même pas, mais c'est un bon début. D'ici quelques secondes, elle devrait se jeter à mes pieds.

— Ben oui, dis-je, tu pourras embarquer.

— O.K., alors on se voit tantôt.

Elle me fait un autre charmant sourire et elle s'éloigne.

Je monte sur une table et j'exécute ma danse de la victoire. Ou plutôt, je l'aurais fait si ma danse avait été au point, mais il me faut encore la peaufiner avant de la rendre publique. Lorsqu'elle sera au point, elle fera un malheur à travers le monde ! Partout on m'enviera et on souhaitera être à ma place. Je serai plus grand que les Beatles et qu'Elvis !

En attendant, il faut que je retourne travailler.

26

Apprendre à compter des jouets
(deuxième partie)

C'EST ÉTRANGE COMME IL Y A SI PEU DE JOUETS PARFOIS DANS UN MAGASIN DE JOUETS.

Voilà une heure que je compte des vêtements. Des vêtements ! Des centaines et des centaines de morceaux (même moi, je me suis fatigué à garder le compte).

Au moins, je me console en voyant que la section est sur le point d'être terminée. Et que, de mes quatre collègues, il y a Lucie qui est là et qui me parle, comme si j'étais son plus vieux copain. Les deux autres, je ne les connais pas du tout, ce qui ne me surprend plus; durant chaque inventaire, il y a toujours quelques personnes que je n'ai jamais vues avant.

Je commence à me demander s'ils n'emploient pas la population de toute la province.

— Pis après ça, j'ai déménagé avec mon frère à Québec. C'était soit ça ou rester à Saint-Fabien-de-Panet pour le restant de mes jours pis travailler comme vendeuse dans un dépanneur qui reçoit cinq clients par jour.

Et travailler comme commis à l'inventaire, c'est mieux ?

— Je sais que, là, je fais des inventaires, mais je finis mes études bientôt, pis je vais me chercher quelque chose de mieux.

Ce qui est amusant avec Lucie, c'est que je n'ai même pas besoin de prononcer un mot pour faire partie de la conversation. D'ailleurs, je n'ai même pas le temps d'en placer un.

Je m'ennuie d'Hubert.

— Ce n'est pas que c'est plate de vivre à Saint-Fabien-de-Panet, mais c'est parce que c'est tellement petit. Tu vis là une semaine, pis tu connais tout le monde.

Hubert est quelque part dans le magasin, mais je ne sais pas où. Nous avons été séparés (incluant la crise de larmes, et tout) au début de l'inventaire et nous ne nous sommes pas encore revus.

Au moins, je sais qu'il va être chez Lucie tantôt.

— Dans le fond, si j'étais restée là-bas, je serais probablement devenue une prostituée. Est-ce que t'aimes ça la poutine, toi ? Me semble que j'ai faim. Ça serait bien si tantôt on allait se chercher de la bouffe avant d'aller chez nous.

Est-ce qu'elle vient de passer d'un sujet à l'autre dans la même phrase sans même ralentir son débit ? À moins que j'aie parlé à sa place dans ma tête ?

Non, ce n'était pas moi. Elle me plaît bien, Lucie, mais je ne pourrais pas vivre avec elle. Déjà que ma mère et ma sœur m'énervent quand elles ne veulent pas se la fermer…

Au moins, ma collègue, elle, me permet de boire de l'alcool sans faire d'histoires. Pas comme ma mère qui est sur le point de faire une attaque quand je ne fais que regarder une bouteille de bière.

Il faudrait que je fasse des expériences pour voir quelles réactions je peux provoquer chez ma mère en regardant différentes sortes de bouteilles.

Lucie éclate de rire. Elle doit avoir dit quelque chose pendant que mon attention était ailleurs. Pour ne pas la blesser, je ris moi aussi.

— Ça fait que c'est comme ça qu'elle est morte ! dit-elle.

Je m'arrête de compter.

Quoi ? Je ne sais pas de quoi elle parle, mais pourquoi est-ce qu'elle rit et me force à rire du même coup ?

Ce qu'il peut y avoir de gens étranges !

— Bon, dit-elle d'une voix assez forte pour que tout le monde l'entende, je pense ben qu'on a terminé. Finissez vos sections, pis après vous viendrez me rejoindre dans l'arrière-boutique parce qu'il faut vous faire télécharger avant d'aller compter ailleurs.

Des trois compteurs restants, je finis le premier et retourne dans la salle de repos où je vois le directeur (Bertrand ?) en train de donner des directives à Lucie et, horreur, à Frédéric Jobin.

Rapide comme l'éclair, je fais tomber une machine distributrice sur Paul.

— Tiens, mon écœurant !

Évidemment, le directeur (Fernand ?) et Lucie pleurent de joie face à mon geste héroïque.

— Enfin, disent-ils, nous sommes libres ! Libres !

Et nous vivons heureux jusqu'à la fin de nos jours parce que, enfin, Paul n'est plus !

— Qu'est-ce que tu fais à niaiser comme ça, toi ?

Bon, il n'est malheureusement pas sous la machine distributrice, il me regarde avec de petits yeux, comme s'il s'imaginait en train de me tuer ou quelque chose du genre. Il y a des gens qui sont vraiment malades !

— T'as fini ta section ? me demande le directeur (Pierrot ?).

— Oui.

Il télécharge mes données et je sors avec Lucie et le diable.

— Lucie, c'est quoi le nom du directeur déjà ?

— C'est Bernard.

— Bernard ? T'es sûre ?

— Depuis le temps que je le connais, je pense ben que oui !

— Je pensais que c'était Pierrot.

— Quoi ? demande-t-elle en riant. C'est quoi ce nom débile-là ?

— Je ne sais pas, mais c'est vraiment mieux que Bernard !

— Eille, dit Paul, vos gueules !

C'est quoi son problème, à celui-là ? L'amusement est interdit, ou quoi ? Sale enfant de…

Tiens, voilà Karine qui compte des articles de sport. Oui, des articles de sport dans un magasin de jouets. Je veux savoir où sont les jouets !

Au moment où nous passons derrière elle, Karine fait un faux mouvement et quelques items tombent par terre. Malheureusement, Paul est peut-être retardé mentalement, mais il n'est pas aveugle.

— Voyons, dit-il d'une voix assez forte, fais donc attention ! Ça peut ben vous prendre du temps si vous n'arrêtez pas de foutre le bordel !

Et il continue, comme s'il était normal de parler à quelqu'un sur ce ton.

Je reste derrière et je regarde Karine en haussant les épaules. Elle essaie de sourire, mais je vois bien qu'elle est secouée.

— Ne t'inquiète pas, dis-je. Ce n'est pas de sa faute, il est dans sa semaine, tu comprends ?

Elle hoche la tête et semble un peu soulagée. Je reprends mon chemin en me dépêchant pour les rattraper.

Je vais tuer Paul. Pour de vrai.

27

Apprendre à compter des jouets
(troisième partie)

JE VAIS TUER PAUL. IL DOIT BIEN Y AVOIR DES CEN-
TAINES, SINON DES MILLIERS DE JOUETS DANS CE
FOUTU MAGASIN ET IL ME FAIT COMPTER DES PILES.
DES PILES !

Ras-le-bol du Toysbarn !

Au moins, ma section n'est pas si grande,
je devrais avoir terminé dans une vingtaine de
minutes au plus tard.

Un, deux trois… J'inscris huit dans la machine et je scanne le paquet sur le crochet suivant. Il n'y en a que trois de ceux-là, pas besoin
de déplacer la marchandise pour bien voir.

Je me demande combien de piles je pourrais enfoncer dans la gorge de Paul avant qu'il
ne s'étouffe.

J'aimerais bien discuter avec quelqu'un,
mais je suis seul au milieu d'une rangée. Je
vois bien Hubert, Laurie (ce qu'elle est belle !),
Hughes et d'autres compteurs, mais ils sont
beaucoup plus loin et il serait assez inappro-

prié de leur faire la conversation à cette distance. Amusant, mais inapproprié.

Avec quelle grâce Laurie fait son travail ! Elle est si sensuelle, cette fille ! Et nous sommes en train de travailler, en plus. Qu'est-ce que ce sera plus tard ce soir, chez Lucie ?

Je tombe presque dans les pommes juste à y penser.

Et je me suis arrêté de compter. J'ai beau me dépêcher pour rattraper le retard, je ne finis ma section que vingt-six minutes plus tard au lieu de vingt. Comment est-ce que je suis censé rester concentré, moi, si elle est dans les parages ? Tous les patrons du monde devraient savoir qu'un adolescent mâle ne pense qu'à une chose. Ils devraient s'arranger pour ne jamais, jamais mettre une belle fille à côté de l'un d'eux, sinon le travail ne sera jamais effectué.

Ou, mieux encore, ils devraient confiner l'adolescent en question dans une pièce fermée avec trois jolies filles pendant une heure avant d'envoyer celui-ci au travail. Tiens, en voilà une bonne idée ! Une idée de génie, même !

Est-ce qu'il y a une boîte à suggestions au bureau ? Je ne me souviens plus.

Je rejoins Paul le dictateur qui m'ordonne de le suivre.

— Est-ce que tu peux me faire compter des jouets ? Ça serait génial, ça.

— De quoi tu parles ? On est dans un magasin de jouets.

— Oui, mais j'en n'ai pas encore compté.

— Tu fais quoi d'abord depuis le début de la soirée, tu te pognes le bacon ?

— Non, mais…

— Tiens, va compter à côté d'Hubert, là-bas.

Je ne me le fais pas dire deux fois. Je marche, je cours, je vole vers Hubert et c'est tout juste si je ne lui saute pas au cou pour l'embrasser. Tout juste.

— Salut !

Il se retourne et ses yeux s'illuminent.

— Hé ! Ça va, mec ?

— Paul me fait chier, mais sinon, ça va. Toi ?

— Oui ! Surtout que t'es là, maintenant, ça fait qu'on va finir dans pas long !

— Tu vas voir, m'a te finir ça, moi, cet inventaire-là !

Je prends le billet et me penche. Sur la première tablette du bas, il y a une foule de casse-têtes. Même pas des jouets.

À moins que…

— Hubert, est-ce que des casse-têtes, on peut dire que ce sont des jouets ?

— Bof ! Je n'y ai jamais vraiment pensé, mais je te dirais que non.

Merde !

28

Apprendre à ne pas compter de jouets

ILS DEVRAIENT RENOMMER LE MAGASIN NOTOYS-BARN. J'ai compté des vêtements, des piles, des casse-têtes, des porte-clés, des étuis pour appareils photo, des cartes mémoire pour ordinateur, des sacs à dos et des casques à vélo.

Pas un seul jouet.

J'attends en ligne avec Hubert pour qu'on télécharge les données de nos machines lorsque Lucie apparaît et nous fait signe de nous dépêcher.

— Envoyez, j'ai soif moi !

Je pense un instant à lancer ma machine au bout de mes bras et de sortir en courant, sauf que celle-ci vaut assez cher, d'après ce que je comprends, et je n'ai pas envie de travailler les cinq prochaines années pour rembourser la dette.

La seule solution serait de lancer la machine en visant la tête de Paul sauf que, encore là, si elle ne reste pas accrochée au masque de pus qui lui sert de visage, elle risque de tomber par terre et de se briser de toute façon.

Je t'aurai un jour, Paul. Un jour.

En attendant, j'attends patiemment qu'on me donne la permission de m'éclipser. D'après ce que j'ai pu comprendre dans l'interminable discours de Lucie, plus tôt dans la soirée, nous serons une vingtaine, dont tous les compteurs que j'ai appris à connaître le plus.

— Je pense à ça, dit Hubert, est-ce que t'as l'auto de tes parents ?

— Ouais.

— Est-ce que je peux monter avec toi ?

— C'est sûr.

Comme si j'allais lui refuser cette faveur ! Hubert est vraiment la personne dont je me suis le plus rapproché durant...

Laurie ! Est-ce que je ne lui avais pas promis la même chose ? Bravo ! Quel imbécile, je fais ! Moi qui voulais être seul avec Laurie, voilà que j'invite aussi Hubert. Pourquoi ne pas aussi inviter Hughes, Dominic et Paul ?

Non, pas Paul. Jamais Paul.

Il est trop tard pour dire non à Hubert, maintenant. Je suis censé lui dire quoi : je n'ai pas vraiment la voiture, j'ai pris l'autobus ?

Il va vouloir m'accompagner dans l'autobus, voyons !

Au fait, est-ce que je ne voulais pas retourner chez moi pour me changer, avant, puis me rendre chez Lucie à pied ? Qu'est-ce que c'est que ces oublis à la con ?

D'abord, il n'y a pas de jouets dans ce foutu magasin, puis je me mets les pieds dans les plats deux fois plutôt qu'une.

Qu'est-ce qui va bien m'arriver, encore ?

Je donne finalement ma machine au directeur (c'était qui déjà, Gontran ?) et peux enfin laisser de côté cet air professionnel que je me donne quand je travaille.

Je sursaute lorsque Karine tire sur ma chemise pour attirer mon attention comme le ferait un enfant.

— Salut ! Est-ce que t'as la voiture de ta mère ?

29

La grande migration

JE SUIS DANS LA VOITURE AVEC KARINE SUR LE SIÈGE PASSAGER ET HUBERT SUR LE SIÈGE ARRIÈRE. Où est Laurie ? Non, elle n'est pas dans le coffre et non, elle n'est pas sur mes genoux (quel monde cruel !).

Et non, je ne l'ai certainement pas oubliée.

Voici ce qui s'est produit : je me dirige vers la sortie avec Karine et Hubert, nous croisons Laurie que j'informe de notre imminent départ et elle me dit que, en fin de compte, elle va voyager avec Dominic et Paul ! Dominic, je peux bien comprendre, mais Paul ?

Je l'imagine, assise sur le siège arrière, se pencher en avant pour leur lécher les oreilles pendant tout le trajet.

Merde ! Maintenant je m'imagine Hubert se pencher vers l'avant pour nous lécher les oreilles. Je jette un œil sur le rétroviseur : Hubert est assis au milieu et regarde en avant. La langue n'est pas sortie. Tout est sous contrôle.

Bien sûr, avant de partir, j'ai dû expliquer à mes deux passagers que nous allions faire un détour pour que je puisse me changer. Immédiatement, Karine m'a demandé la permission d'entrer chez moi afin de faire la même chose. Je l'ai regardée d'un air bizarre, me demandant ce que je pouvais bien lui prêter qui lui irait bien, et elle m'a pointé un sac avec du linge de rechange qu'elle traînait avec elle.

Je me suis senti un peu bête, tout à coup.

Hubert s'est empressé de me demander si je pouvais lui prêter quelque chose qui lui irait bien puisqu'il n'avait rien apporté. J'ai ri, je l'ai traité de sale farceur et je lui ai demandé de me montrer son sac. Il n'a pas bougé, m'a regardé droit dans les yeux d'un air sérieux.

Je me suis senti un peu idiot, tout à coup.

Et maintenant je stationne la voiture, priant de toutes mes forces pour qu'il n'y ait personne à la maison et que je sois en train d'halluciner sur toutes ces lumières allumées.

— Bon, dis-je, on restera pas longtemps, hein ? Le temps de se changer et on s'en va, O.K. ?

— Tu n'avais pas dit qu'on mangerait un morceau avec tes parents, d'abord ? demande Karine.

— Quoi ? Euh…

— Moi, tu m'avais dit que tu me présenterais à ta sœur, dit Hubert. Ou à tes sœurs.

— Non. Non ! Nonnonnon ! On rentre, on se change, on sort !

— Devant tes parents ?

— Non ! Ah ! Vous êtes malades !

Au moment où je glisse la clé dans la serrure, Karine pose une main sur mon épaule.

— Attends ! Ton père là… Est-ce qu'il voit quelqu'un ?

Non, mais, qu'est-ce qui leur prend ? Ils devraient savoir qu'on ne fait pas de blagues avec ce genre de choses ! C'est dépasser les bornes !

Alors que mes deux amis se tiennent les côtes à force de rire, j'entre en regardant de tous les côtés. La voie est libre. Pour l'instant.

— O.K., entrez. Je vais te montrer la salle de bain pour que tu puisses te changer, Karine. Hubert, tu viendras avec moi dans ma chambre.

— Voulez-vous que je vous laisse du temps pour être seuls, les gars ?

— Ha ! ha ! Très drôle !

Je lui fais une grimace et je me retourne.

— Ah !

Je me retrouve face à ma mère qui nous regarde en souriant. D'où sort-elle, celle-là ? Je ne l'ai pas entendue s'approcher.

— Bonjour ! Vous êtes des collègues de Louis ?

Des collègues ? Ils ne pourraient pas être mes amis, ou quoi ?

Ma mère me regarde d'un air suppliant.

— Bon, d'accord, je vais te présenter. Maman, je te présente Hubert et Karine. Hubert et Karine, je vous présente ma mère, Charlotte.

Ma mère prend un air vexé.

— Charlotte ? C'est comme ça que tu me présentes ? Bonjour, les jeunes, mon vrai nom, c'est Francine.

Elle leur serre la main alors que je me demande si l'un d'entre eux va avoir le courage de répondre : « Bonjour, la vieille. »

Il semble que non.

— Est-ce que vous voulez quelque chose à boire, les jeunes ?

— Non merci. C'est gentil, mais on ne restera pas longtemps.

— Non ? Comment ça ?

— Maman, je te l'ai dit ce matin, j'ai une fête.

— Tu ne m'as jamais dit ça !

— Bon ben je te le dis là, d'abord. J'ai une fête ce soir.

J'essaie de la contourner et me bute à mon père.

— Ah !

Qu'est-ce qui se passe ? Qu'est-ce que les gens ont à apparaître de nulle part, ce soir ?

— Bonjour fils, dit mon père d'un air sévère. Ce sont des collègues à toi ?

Sérieusement, est-ce que personne au monde ne croit que je peux avoir des amis ?

J'attends qu'il se meuve, mais il ne bouge pas.

— Bon, j'ai compris. Papa, je te présente Karine et Hubert. Je vous présente Roger, mon père.

— Roger ! s'exclame ma mère. Est-ce que tu pourrais au moins nous présenter comme du monde ? Il ne s'appelle pas Roger, les jeunes, son nom, c'est Philippe.

Mes amis (oui, mes amis) font un signe de tête à mon père qui se contente de les regarder avec de petits yeux pendant quelques secondes avant de se retourner et de disparaître.

Je me retourne vers Karine et Hubert et…

— Ah !

— Allô !

Qu'est-ce qu'elle fout ici, celle-là ? Il faut que je tombe sur le seul samedi dans l'année où ma sœur est à la maison et non chez une amie.

— On est vendredi soir, dis-je en criant presque. Qu'est-ce que tu fais ici ? Tu n'es pas chez ton amie ?

— Non.

Elle pointe son doigt derrière moi.

— Ah !

Son amie est ici. Je comprends.

Vite, il faut que nous sortions d'ici avant que les voisins n'apparaissent à leur tour.

— Venez, dis-je à mes amis.

Rapidement, je me faufile entre ma mère et ma sœur et je me dirige vers l'escalier. Karine et Hubert prennent le temps de saluer tout le monde, puis ils me suivent jusqu'à l'étage.

— La salle de bain est là. Tu peux nous attendre dans le couloir si tu finis avant.

— Merci.

Hubert et moi, nous allons dans ma chambre.

— J'ai juste besoin d'une chemise ou d'un t-shirt, me dit-il. Pas besoin de ta garde-robe au complet !

— Inquiète-toi pas, je n'ai pas l'intention de te prêter des sous-vêtements.

— Vaut mieux pas !

Je lui montre tout ce que j'ai et je le laisse choisir. Quant à moi, je sais déjà quel jean et quel t-shirt je veux porter. J'hésite un instant, puisque Hubert est encore dans ma chambre, mais je réalise que je me suis souvent retrouvé en sous-vêtements devant d'autres garçons durant les cours d'éducation physique.

Je garde un œil sur lui quand même, au cas où il aurait envie de se jeter sur moi pour me lécher les oreilles. Heureusement, il ne me regarde même pas.

— T'es prêt ? me demande-t-il.

— Oui. Go !

Karine, elle, est toujours dans la salle de bain. Hubert s'avance vers la porte fermée.

— Qu'est-ce que tu fais ? dis-je.

Il frappe trois coups secs.

— Es-tu en train de prendre ta douche ? C'est long !

Nous entendons un « ta gueule » étouffé provenant de l'intérieur.

Je dis à Hubert, assez fort pour que Karine m'entende :

— Voyons ! Tu sais ben que les filles, ça prend toujours quatre heures à se préparer !

Voilà ! La vengeance du siècle ! Ça lui apprendra à s'être moquée de moi lorsque nous sommes arrivés !

Bon, quand j'y pense, ce n'était peut-être pas aussi génial, mais au moins je ne l'ai pas complimentée.

Quelques secondes plus tard, Karine sort. Quand je la vois, j'ouvre grand les yeux et la bouche, je fais un pas en arrière et je tombe dans l'escalier, me brisant tous les membres au passage et faisant en sorte d'avoir à jamais son image dans mon esprit lors de mon coma (je me cogne la tête sur la dernière marche).

Ce serait amusant si ma vie se terminait ainsi, non ?

Parce que, en fait, je suis toujours à l'étage en train de la regarder comme un imbécile. Elle porte un jean serré et un chemisier rouge pâle qui met en valeur ses formes qui, jusque-là, étaient passées un peu inaperçues. Je crois même qu'elle s'est maquillée un tout petit peu, mais je ne suis pas certain à cause de ses maudits cheveux qui ne cessent de tomber sur son visage.

Bref, si Hubert n'avait pas été là, je lui aurais sauté dessus, elle m'aurait donné une bonne claque et je ne l'aurais jamais revue. Ç'aurait été grandiose !

Nous descendons les marches prudemment, à l'affût du moindre mouvement. Ma sœur et son amie sont là, sur la droite, mais je les ai vues et je ne suis pas surpris, cette fois.

— Où tu t'en vas ? me demande Nadine.

— Dehors.

— C'est qui, eux autres ?

— Demande-leur toi-même.

— Pourquoi tu ne me présentes pas, moi ?

— Parce que.

Et nous sortons avant que le reste de la famille ne s'amène. Je verrouille la porte, puis je me retourne pour faire face à Karine et à Hubert.

— Ah !

Est-ce qu'ils sont obligés de se tenir aussi près de moi, ceux-là ?

30

La fête du siècle (potentiellement) (première bière)

L E TRAJET JUSQUE CHEZ LUCIE, À PIED, AURAIT DÛ PRENDRE UNE DIZAINE DE MINUTES TOUT AU PLUS. Puisque nous nous sommes arrêtés au dépanneur pour acheter une caisse de douze (nous avons convenu que quatre bières chacun c'était suffisant), nous sommes arrivés 19 minutes après notre départ.

Lucie nous a expliqué qu'elle habite dans une maison avec son frère et je suis heureux de constater qu'elle n'a pas menti.

Nous frappons à la porte et c'est Hughes qui vient nous ouvrir.

— Salut ! Entrez !

Il prend la caisse de bière et nous fait signe de le suivre jusqu'à la cuisine où Lucie (pas de surprise), Josée (tiens, je ne l'avais pas vue depuis un temps, celle-là), le directeur (Joseph ?) ainsi que Dominic (rien à dire sur celui-là) sont occupés à jouer à un genre de jeu où l'on doit boire des *shooters* toutes les cinq secondes.

D'autres que je ne connais pas les regardent s'amuser en conversant.

Hughes nous aide à mettre les bouteilles dans le réfrigérateur, puis il nous abandonne et va se placer à côté de Lucie.

— J'ai envie, dit Hubert. Je vais à la recherche des toilettes.

— Déjà ? On vient d'arriver !

Il ne reste plus que Karine et moi.

— Santé, me dit-elle.

Nous trinquons et je savoure ma première gorgée. J'aime bien la bière, mais elle était encore meilleure lorsque je la buvais illégalement alors que je n'avais pas encore atteint la majorité. Ah ! Si je pouvais retourner en arrière !

— Viens, dis-je, je vais te faire visiter.

Karine prend un air surpris.

— T'es déjà venu ici ?

— Non !

Je lui montre la cuisine d'un grand geste.

— Alors ici, nous avons la chambre des maîtres. La table là-bas sert de lit.

— La chambre des maîtres ? De quelle sorte d'endroit bizarre tu viens, toi ?

— J'ai grandi dans une boîte.

— Une boîte ?

— Oui, mes parents me mettaient dans une boîte, pis après, ils mettaient la boîte dehors, dans la cour en arrière.

— Je peux la voir, ta boîte ?

— Non, je l'ai jetée. Je suis devenu trop grand pour habiter dedans.

Nous nous rendons au salon où une dizaine de personnes causent ou dansent au son de la musique.

— Bon, dit Karine, alors ici nous avons la salle de bain public.

— Eille ! C'est moi qui te fais visiter !

— Oui, mais t'es poche !

Je prends un air insulté tout en réfléchissant à une réplique. Toi aussi t'es poche ? Non, c'est nul.

Faute de trouver une bonne réplique, je lance un long soupir et prends une gorgée. Ça lui apprendra.

À ce moment, Paul passe à côté de nous en titubant (ça fait combien de temps qu'il est là, lui ?).

— Hé ! nous lance-t-il. Salut vous autres !

— Salut, dit Karine d'un ton un peu moins enthousiaste.

Quant à moi, j'attrape Paul par le collet et lui donne un bon coup de front directement sur le nez. Je le regarde s'effondrer par terre, puis je lui donne quelques coups de pieds pour la forme.

Je me penche et crie dans ses oreilles :

— Tu nous fais chier, espèce de taré !

Rien ne vaut une bonne dose de violence avant d'embrasser une jolie fille. J'ouvre mes bras, m'attendant à ce que Karine se jette dedans, mais en fait, elle est en train de regarder Paul s'éloigner, les yeux petits.

Je pose une main sur son épaule pour la secouer.

— Hé ! Arrête d'être dans la lune !

— Excuse-moi. J'étais en train de m'imaginer sacrer une volée à Paul et lui dire ses quatre vérités.

— Vraiment ?

Quelle fille étrange !

J'essaie d'oublier que je suis avec une lunatique et je la tire par le bras.

— Viens, je vais te faire visiter le reste de la maison.

— Ah oui ? J'aimerais bien voir le grenier. Et le garage.

Nous entrons dans un couloir et nous tombons sur Hubert et Laurie, en pleine conversation.

Mon Dieu ! Comme elle est belle, cette fille ! Elle porte une jupe qui lui arrive aux genoux et je peux voir le début de ses deux jambes parfaites. Je dois physiquement me retenir au mur pour ne pas me jeter à ses pieds en ce moment.

— Salut ! dis-je.

— Hé ! crie Hubert (il doit être énervé).

Laurie se contente de nous faire un beau sourire. Que dis-je ? Un merveilleux sourire ! Comme j'ai envie de me jeter sur elle et de la traîner dans la chambre des maîtres !

Évidemment, avec tous ces gens qui nous regarderaient, ça serait un peu gênant. Juste un peu.

— Pis, demande Laurie en me regardant, est-ce que tu t'amuses ?

— Mets-en ! Je peux dire avec certitude que je ne me suis jamais autant amusé de ma vie.

— Il faut dire que tu habitais dans une boîte avant, dit Karine.

Tiens, elle est toujours là, elle ? Pourquoi est-ce qu'il faut qu'elle révèle tous mes secrets ?

Laurie fait un pas vers moi, ignorant complètement l'intervention.

— Est-ce que t'as rencontré Jean, le frère de Lucie ?

— Non, pas encore.

— Il faut que tu le rencontres, il est vraiment sympa ! Viens, je vais te présenter.

Elle passe son bras sous le mien et m'entraîne vers le salon. Je la laisse faire.

31

La fête du siècle
(peut-être pas, finalement)
(deuxième bière)

JE NE VOIS PAS CE QUE JEAN A DE SI SPÉCIAL. L'espèce de connard. Laurie m'a présenté, nous avons discuté à trois pendant quatre minutes, puis il est devenu évident que je ne participais plus à la conversation et je me suis éloigné, subtilement (j'ai lancé mon soulier à travers la fenêtre pour créer une diversion).

Après, je me suis approché d'Hughes qui m'a donné une autre bière et nous avons commencé à discuter de tout et de rien. J'ai appris qu'il était le petit ami de Lucie depuis quelques mois, qu'il n'avait pas vraiment d'ambition et qu'il aimait bien les patates. Toutes sortes de patates. En purée, en frites, peu importe.

Je m'amuse comme un fou.

J'ai vu Hubert et Karine discuter, plus loin. Je ne sais pas pourquoi, mais on dirait que Karine a changé d'humeur et qu'Hubert a essayé de lui remonter le moral. Ils sont restés quelques minutes avant de se rendre à la cuisine.

Et maintenant, je suis toujours avec Hughes au salon et je suis en train d'essayer de me souvenir si Karine avait dit que son petit ami serait présent, ce soir. Si oui, ça pourrait expliquer son changement d'humeur.

Je ne sais pas pourquoi je me pose autant de questions, je devrais me contenter de regarder Laurie qui ne se rend pas compte que je l'observe, malgré le fait que je la fixe depuis 10 minutes.

— Pis, me demande Hughes, aimes-tu ça faire des inventaires ?

« Pas assez pour courir entre les sections, comme toi », ai-je envie de lui répondre.

— Oui, pas pire.

— Pis tu vas voir, c'est aussi une agence de rencontre. C'est juste une question de temps avant que tu sortes avec quelqu'un.

— Vraiment ?

Il commence à m'intéresser, ce mordu du travail.

— Oui, continue-t-il, il y a vraiment plein de couples qui se rencontrent au travail. Y'a toujours beaucoup de changements de personnel, ça fait que tu rencontres tout le temps du nouveau monde.

— Vraiment ?

Donc, si je garde cet emploi pendant assez longtemps, je pourrai coucher avec toutes les filles de la province…

— Je reviens, il faut que j'aille aux toilettes.

— Vraiment ?

Pourquoi est-ce qu'il tient tant à me faire savoir qu'il se rend à la salle de bain ? Est-ce qu'il a un programme secret ? Est-ce qu'il espère que je vais aller le rejoindre ?

Qu'est-ce que je peux divaguer, des fois !

Il disparaît et, dix-sept secondes plus tard, Josée vient prendre sa place.

— Salut, me dit-elle.

— Salut,

— Tu t'amuses ?

— En malade. Toi ?

— Oui.

Et maintenant, il ne me reste qu'à trouver des escaliers, l'y entraîner et la faire monter devant moi pour que je puisse regarder ses fesses. Mais où trouver des escaliers à cette heure ? Tous les bons endroits doivent être déjà fermés.

— Pis, dit-elle, y'a personne qui te cause des ennuis ?

Hormis cet enfoiré de Paul, qu'elle veut dire ? Est-ce que j'ose lui dire la vérité ?

J'ose. Vive l'alcool et la sensation d'invincibilité qu'il procure.

— Ben, il y a Paul qui peut être assez chiant, des fois.

Elle éclate de rire.

— C'est parce que tu ne le connais pas encore. Il est correct, Paul.

Quoi ? Mais qu'est-ce qu'il peut bien avoir fait pour que tout le monde le défende ainsi ? Est-ce qu'il leur a sauvé la vie à tour de rôle ? Est-ce qu'il les paye pour qu'ils soient gentils avec lui ? Même Dominic qui semble être vraiment un bon gars s'entend bien avec Frédéric Jobin, ce dérangé mental.

C'est parce que je ne le connais pas encore qu'elle dit ? Combien de temps est-ce qu'il faut être misérable avec lui pour qu'on se sente enfin bien ? Est-ce que ça en vaut vraiment la peine ?

Il faut que j'en sache plus parce que, sinon, je risque d'envoyer promener tout le monde.

— En parlant de Frédéric, dis-je, pourquoi est-ce que tout le monde l'appelle Paul ?

— Ah ! s'exclame-t-elle, comme si elle se remémorait un souvenir de jeunesse. C'est parce qu'il y avait deux Frédéric avant et il était tanné qu'on se mêle entre les deux, ça fait qu'il a décidé de se faire appeler Paul.

J'attends la suite, mais il ne semble pas y en avoir.

— Quoi ? C'est tout ?

— Ben ouais.

— Quand il nous a donné notre formation, il nous a dit que c'était une longue histoire ! Je n'appelle pas ça une longue histoire, moi !

Elle hausse les épaules.

Il est de plus en plus chiant, ce Paul. Plus j'en apprends sur lui, plus j'ai envie de le pousser devant un train.

Note à moi-même : trouver un train.

Si je ne veux pas passer le reste de la soirée à être en colère, je dois changer de sujet.

— Et Lucien, lui ?

— Qui ?

— Ben Lucien, le directeur !

— C'est Bernard son nom.

— Vraiment ?

Elle me fait marcher, il me semble que j'ai une bonne mémoire pour les prénoms.

— Peu importe son prénom, c'est quoi son histoire ? Il doit avoir quarante ans, pourquoi est-ce qu'il se tient avec des jeunes comme nous autres ?

— Il est amusant, Bernard. C'est parce que tu ne le connais pas encore.

Est-ce qu'il y a au moins une personne que je connais dans cette foutue compagnie ?

— Il aime ça s'amuser, comme nous autres.

Si jamais j'apprends que ce directeur (Lucien, que Josée m'a dit ?) est en fait le chef d'un curieux culte et que nous sommes tous ses disciples, je ne crois pas que je serai surpris. Il doit mettre de la drogue dans notre nourriture pour que, au bout d'un certain temps, nous trouvions tout le monde acceptable socialement malgré le fait qu'il soit un idiot de première classe (je pense à Paul, en particulier). Ou sinon, il a recours à une nouvelle sorte d'hypnose. J'y pense, peut-être que les maudits « bip » qu'émettent les machines sont en fait une sorte de codes secrets qui servent à nous laver le cerveau ?

Je viens de tomber sur quelque chose d'énorme ! Et il n'y a que moi qui sache la vérité !

Non, mais, faut-il que cette fête soit ennuyeuse pour que je sois obligé de me divertir moi-même en m'inventant de stupides histoires ?

La fête du siècle
(mais le siècle n'est pas fini)
(troisième bière)

J'ATTRAPE MA TROISIÈME BIÈRE DE LA SOIRÉE ET EN-
LÈVE LE BOUCHON D'UN PUISSANT GESTE DU POI-
GNET. Qu'est-ce que je suis fort ! Pourquoi
est-ce que personne ne me vénère ?

Après deux bières je ne suis pas ivre, mais
je commence à me sentir bien. Normalement,
je commence à avoir la tête qui tourne après
trois. Après quatre, je peux dire que je suis
saoul et, après dix, je suis mort. Je ne me suis
jamais rendu à dix. Quand même !

Je profite du fait que je suis dans la cuisine pour m'approcher de la table. On dirait
un jeu différent avec les mêmes *shooters*. Je ne
sais pas combien d'alcool fort ils ont bu jusqu'à
présent, mais ils doivent être tous sur le point
de crever.

Je lève les yeux et j'aperçois Hubert et Karine,
tranquilles dans un coin. Elle n'a toujours pas
l'air joyeuse, celle-là. Je me demande si elle a

réussi à joindre son petit ami pour lui demander pourquoi il n'a pas été foutu de se présenter.

Je m'approche.

— Hé !

— Salut, mec !

— Qu'est-ce qui se passe ?

— Rien. On jase, on les regarde jouer. C'est des malades, eux autres !

— Ouais, je vois ça !

Je prends une gorgée.

— Vous voulez aller au salon ?

Hubert regarde Karine qui hoche la tête.

— O.K.

Nous entrons dans la pièce au moment même où le frère de Lucie demande d'une voix assez forte pour que tout le monde entende :

— Est-ce qu'il y en a qui ont entendu parler du gars qui aurait tué sa sœur, l'année passée ?

Hubert se penche vers moi pour chuchoter.

— La fête est vraiment pognée icitte !

Un adolescent que je ne connais pas lance une réponse inaudible et Jean lui demande de répéter.

— J'ai dit : ce n'est pas une légende urbaine, ça ?

— Ben non, crie Jean ! C'est vraiment arrivé, il y a un gars qui a tué sa sœur par accident, l'année passée !

Maintenant que j'y pense, il me semble avoir lu quelque chose du genre dans les journaux.

— Le gars est entré dans un appartement pour voler pis il est tombé sur sa sœur pis il l'a tuée par accident !

Si ma mémoire ne me trompe pas, la sœur du gars en question a survécu. De quoi il parle, ce Jean ? Quel imbécile !

— C'est vraiment déprimant comme conversation, dit Karine. Est-ce qu'on va faire un tour dehors ?

Nous sortons par une porte qui donne sur la cour arrière où quatre autres personnes se trouvent déjà. Nous faisons quelques pas, histoire de nous éloigner d'eux sans que ça paraisse.

L'air frais semble faire du bien à Karine qui reprend un peu de couleur tout à coup. À moins qu'elle n'ait appliqué du maquillage en vitesse pendant que je ne regardais pas. Difficile de le dire, à travers ses cheveux qu'elle ne cesse de repousser de la main.

Hubert me donne une claque dans le ventre. Je réplique en lui cassant la nuque d'un geste sec.

Non, je ne ferais jamais de mal à Hubert, je m'amuse avec lui.

— Hé ! Savais-tu que Karine était une artiste ?

Artiste dans quel genre ? Elle tue des gens et fixe leur cadavre dans des pauses sexuelles étranges ou elle peint ?

— Non, dis-je en me tournant vers elle. Tu fais quoi ?

Elle baisse les yeux, visiblement gênée.

— Je dessine.

Merde. L'alternative aurait été beaucoup plus intéressante. Pourtant, il faut bien que je l'encourage.

— Je savais ! Et ça ne me surprend pas pantoute !

— Comment ça ?

— L'autre fois, quand on a joué à Puissance 4, tu dessinais des grilles de jeu de malade ! C'était vraiment fort !

Elle éclate de rire.

— T'es vraiment idiot !

— Je ne te niaise pas, quand je t'ai vue dessiner j'ai vraiment pensé que t'étais douée et je me suis dit que tu dessinais sûrement !

Elle rit de plus belle.

Qu'est-ce qu'elle a à ne pas comprendre que je suis sérieux ? Je devrais lui mettre mon pied au derrière !

Qu'est-ce que je dis ? Il est beaucoup trop beau pour ça, son derrière. Si jamais elle pouvait se retourner, quelques secondes. Ou quelques minutes.

— Et vous autres ? demande Karine. C'est quoi vos talents ?

— Bof ! dit Hubert. Je ne pense pas que j'aie vraiment de talent.

— Tout le monde a du talent, continue-t-elle. Faut juste que tu y penses un peu.

— Hubert, c'est un meneur de claques professionnel, dis-je. Il est capable de motiver n'importe qui !

Celui-ci me lance un sourire.

— Ouais, c'est quand même pas pire comme talent !

Karine me regarde.

— Et toi ?

— Moi, je suis dompteur de tigres.

— Ah ouais ?

— Oui. Je dompte toutes les sortes de tigres. Le tigre de Sibérie, celui de Chine… Euh… Toutes les sortes, là.

— Tu n'en connais pas d'autres sortes, hein ?

— Pas vraiment, non.

Nous éclatons tous de rire. Je suis content de voir que Karine est de nouveau capable d'être de bonne humeur. J'ai envie de lui demander à propos de son petit ami, mais j'ai peur de lui causer de la peine.

— Hé, salut !

Tiens, voilà Laurie avec un gars que je ne connais pas. Au moins, elle n'est plus avec ce débile de Jean.

Je lui fais un grand sourire.

— T'étais où ? me demande-t-elle. T'as disparu depuis un moment !

J'ai disparu ? J'étais dans le salon, puis dans la cuisine. Bien caché, n'est-ce pas ?

Maintenant que j'y pense, c'est plutôt elle qui avait disparu.

— J'étais caché en arrière du divan, que je réponds.

— Ah oui ? Je connais une meilleure cachette. Tu veux voir ?

— O.K.

Je la suis.

La fête du siècle
(pas vraiment, en fin de compte)
(quatrième bière)

LAURIE N'ÉTAIT PAS CACHÉE DANS LE PLACARD, COMME JE ME L'ÉTAIS IMAGINÉ. Elle n'était pas non plus sur le toit, ce qui aurait vraiment été génial.

En fait, nous sommes dans la chambre de Lucie, tout simplement. Et il n'y a personne d'autre. Je suis tellement nerveux que je manque de laisser tomber ma dernière bière chaque fois que je bouge.

Je suis debout, près de la porte, et elle se promène dans la pièce en regardant tous les objets personnels qu'ii y a.

— Regarde, dit-elle, tu ne trouves pas qu'il est mignon, le toutou ?

Entre l'ours en peluche qu'elle me montre et son soutien-gorge, je trouve le deuxième objet beaucoup plus adorable. Néanmoins, je fais semblant de bien aimer l'ours, pour lui faire plaisir.

— T'as vu les photos ? Elle a vraiment l'air jeune, là-dessus !

Je m'approche et regarde par-dessus son épaule. Lucie ressemble tellement aux photos qu'elles pourraient bien avoir été prises le jour même.

Pas vraiment brillante, cette Laurie.

Mais quel corps !

Je profite du fait que je suis tout près d'elle pour humer son parfum. Comme elle sent bon ! Comme une fleur sauvage que j'aurais cueillie pour la rapporter à la maison. Une fleur sexy avec des seins et des fesses.

Laurie me jette un regard que je ne peux que qualifier de sensuel et s'assoit sur le lit. Elle me fait signe de prendre place à côté d'elle.

Je peux dire avec certitude que je ne suis jamais passé aussi près d'avoir une crise cardiaque.

Je m'assois. Je la regarde. Elle me sourit.

— Qu'est-ce que tu veux faire ? me demande-telle.

Jouer au bowling ? Observer les étoiles ? Fabriquer un radeau ?

Quelle question stupide ! Elle pense que je vais répondre quoi ?

Au fait, qu'est-ce que je vais répondre ? Je ne peux pas lui dire directement que je veux lui enlever sa blouse, elle va me donner une claque et la soirée sera terminée. Je dois trou-

ver quelque chose qui lui fait comprendre subtilement qu'elle peut m'avoir, si elle le désire.

— Je ne sais pas. On pourrait rester un peu
ici, juste toi et moi.

Elle passe une main dans mes cheveux. Ça
y est ! Je vais avoir une copine, je vais déménager en appartement avec elle, je vais avoir un
compte conjoint à la banque ! Oh ! mon Dieu !
Je vais être père !

— Je ne peux pas, dit-elle. Il faut que je
m'en aille.

L'appartement est bien trop petit pour un
bébé, il va falloir se trouver une maison, il va
falloir…

Quoi ? Attendez une minute ! Il faut qu'elle
s'en aille ?

Elle se lève et me fait un signe de la main.

— Salut ! On se voit plus tard !

Et elle sort, sans attendre de réponse. Je
veux la poursuivre, mais j'ai un handicap physique qui m'empêche de courir présentement.
Je reste donc assis sur le lit à boire ma bière,
comme un imbécile.

Ce qu'elle peut m'embêter, tout de même !
C'était quoi cette histoire d'aller dans cette
chambre et de passer la main dans mes cheveux
si ce n'était pas pour me marier ? Allumeuse !

Il va falloir que je trouve un moyen d'être
de nouveau seul avec elle et, cette fois, je trou-

verai bien une façon de l'attraper dans mes filets !

En attendant, je termine ma bière tranquillement. Puis, après un arrêt à la salle de bain, je retourne au salon. Hubert et Karine n'y sont pas.

Je me rends à la cuisine. Hubert est là, Karine pas.

— Salut. Où est Karine ?

— Elle est partie.

— Pour vrai ? Elle ne m'a même pas dit salut.

— Ben t'étais comme un peu disparu.

— Ouais, t'as raison. Je pense que je vais y aller moi aussi. J'ai une rencontre demain avec chose, là, le directeur.

— Ah ouais ? Pour ton évaluation ?

— Exact.

— Moi, c'est après-demain.

— Tu m'en donneras des nouvelles.

Nous nous serrons la main, je salue quelques personnes qui m'ignorent complètement et je sors dans la nuit. Il fait très sombre, dehors, mais aussi très chaud. Je pourrais être nu et je serais encore très confortable.

Je pourrais être nu… Non, ce n'est pas une bonne idée. Si je tombe sur une vieille dame, je risque de lui faire peur et d'aller en prison, et je n'ai jamais rien entendu de positif sur cet endroit. Surtout lorsqu'on y arrive déjà nu.

Au moins, je suis dans un quartier résidentiel et il n'y a pas trop de voitures qui passent, ce qui me permet de marcher au milieu de la rue sans danger.

J'ai aussi amplement le temps de repenser à la soirée. C'était un peu bizarre, en fait. Karine qui se fait larguer par son petit ami et moi par ma future épouse. Hubert semble s'être amusé, par contre. Quoiqu'il ait toujours le don de voir les choses positivement, ce salopard.

Je ne suis plus qu'à cinq minutes de chez moi lorsque je ressens une soudaine envie d'uriner. Celui qui a inventé la bière est vraiment un crétin de première classe, il n'aurait pas pu concevoir quelque chose qui ne donnerait pas envie d'aller aux toilettes toutes les dix minutes ? Qu'est-ce que je fais maintenant, je cours jusque chez moi ?

Je suis bien trop paresseux pour ça. Je pourrais me soulager sur la pelouse d'un voisin, par contre. Après tout, quelles sont les chances qu'on me remarque ? Et puis, si jamais je m'arrête devant une fenêtre noire et qu'une lumière s'allume soudainement et qu'une jeune fille nue apparaisse devant mes yeux, ce serait bien la chose la plus extraordinaire du monde, non ?

Bien entendu, je pourrais aussi me retrouver en prison pour une chose pareille. Quel monde bizarre !

Je ne suis plus qu'à deux minutes de marche de chez moi. J'accélère le pas.

34

Comment devenir riche

HEUREUSEMENT QUE JE NE TRAVAILLAIS PAS CE MATIN PARCE QU'IL ÉTAIT MIDI LORSQUE JE ME SUIS RÉVEILLÉ. En fait, la seule chose que j'ai à faire, aujourd'hui, c'est d'aller rencontrer Clément, le directeur, pour une évaluation de mon travail. Au début, je trouvais étrange qu'on m'évalue après si peu de temps, mais on m'a dit que tous les employés devaient être rencontrés cette semaine.

Je ne sais pas trop à quoi m'attendre puisque j'en suis à mon premier emploi. Qu'est-ce que le directeur va faire pendant l'entretien, au juste ? Me demander de me pavaner devant lui alors qu'il me prend en photo ? Me donner une machine et me demander de compter alors qu'il prend des notes sur ma performance ?

Qui sait, peut-être qu'il lancera un dé et me donnera une augmentation selon le résultat obtenu.

Bref, cinq minutes avant l'heure prévue, je pousse la porte du bureau et annonce mon arrivée à la réceptionniste qui me regarde comme si j'étais un terroriste. D'une main hésitante, elle prend le téléphone.

— Monsieur Langevin ? Louis Beaumont est arrivé.

Qui c'est, ce Langevin ? L'assistant du directeur ?

Elle raccroche et me fait signe de monter. Je la vois qui me suit des yeux alors que je m'éloigne. Elle a pris de la drogue ou quoi ? À moins que je ne porte mon t-shirt « MORT À TOUS LES HUMAINS »... Non, il n'y a rien d'écrit sur mon ventre.

— Salut !

— Bonjour.

Il me fait signe de m'asseoir, puis tape sur son ordinateur portable en m'ignorant totalement. Qu'est-ce que je fais là ? Je lui fais un signe, pour attirer son attention ? J'attends patiemment ? Qu'est-ce qui se passe ?

Peut-être que si je poussais son ordinateur portable par terre, il s'occuperait de mon entrevue. Ou il me briserait le cou.

Il faut vraiment que j'apprenne à penser plus vite parce que le temps que je prenne une décision, Clément lève les yeux de l'écran.

— Bon ! T'es ici pour ton évaluation, c'est ça ?

Non, en fait je marchais tranquillement dehors et puis je me suis dit que j'allais venir faire un tour au bureau, sans raison. Connard.

— Oui !

— O.K. ! C'est quoi ton nom ?

C'est une blague, ou quoi ?

Je le lui dis. Alors qu'il fouille dans ses papiers, j'aperçois une plaque sur le bureau où il est inscrit « Bernard Langevin ». Qu'est-ce qu'il fait avec la plaque de son assistant ? À moins que nous ne soyons pas dans le bon bureau...

— O.K. ! Voyons voir...

Il me montre une feuille avec plusieurs noms d'employés associés à un pourcentage. Je vois que je suis troisième dans la liste avec 96 %.

— Tiens, regarde ça. C'est la liste des employés avec un pourcentage.

Tiens, je n'avais pas remarqué !

— Le pourcentage est calculé par le nombre d'items que tu comptes et le temps que tu prends pour le faire. Plus t'es haut, plus c'est bon.

Vraiment ? Ça défie toutes les lois mathématiques que je connais !

Un rapide coup d'œil dans la liste me permet de voir que Hughes est premier, Lucie deuxième, Laurie cinquième, Karine sixième et Hubert douzième. Hubert douzième ! C'est beaucoup mieux que je ne croyais, il va falloir fêter ça avec lui !

L'autre chose que je remarque, sur la liste, c'est qu'aucun des superviseurs ne s'y trouve. Seraient-ils exempts d'évaluation ?

— Comme on peut le voir, t'es quand même assez bon !

Médaillé de bronze, c'est effectivement assez bon. Si l'on considère que j'ai en plus un corps d'Adonis, on peut pratiquement dire que je suis l'être humain parfait.

Comme je suis heureux, dans ma tête.

— Ça fait que je vais te donner trente cennes d'augmentation. Pas pire, hein ?

Trente sous ? De l'heure ou de la semaine ?

Il me fait un clin d'œil, comme s'il venait de m'annoncer que j'étais millionnaire. En fait, c'est tout juste s'il n'avance pas la main sous la table pour me caresser les cuisses.

— Tu ne pensais pas augmenter rapidement de même, hein ?

— Oui, c'est bon.

Comme si j'étais censé savoir si c'est vraiment bon ou pas. Si moi j'ai trente sous et que les autres ont tous deux dollars, ce n'est pas si merveilleux, n'est-ce pas ? J'ai comme l'impression qu'il me prend pour un imbécile. Je tente quelque chose :

— C'est quoi le maximum qu'on peut avoir, comme augmentation ?

Il tousse, se tourne vers son ordinateur, se tourne vers la porte (pour appeler son assistant, peut-être ?), puis finalement abandonne puisque, en fin de compte, il réalise sûrement que les autres compteurs vont m'avouer la vérité.

— Ben, c'est soixante cennes, mais il faut vraiment avoir été là longtemps pour avoir ça.

— Ah !

Un aveugle sourd aurait compris qu'il venait de me mentir.

Il me dit ensuite qu'il va envoyer le formulaire à la maison mère et que je devrais voir l'augmentation sur ma paye dans un mois environ. En attendant, je continue au salaire minimum.

Il me renvoie en me disant bonjour et en reportant son attention sur l'écran de son ordinateur portable. Il ne fait même pas un geste pour me serrer dans ses bras (ce qui aurait été inconvenant, avouons-le), ou, du moins, pour me serrer la main (ce qui aurait été la moindre des politesses).

Je descends et j'aperçois la réceptionniste, cachée sous son bureau, qui me regarde sortir en tremblant.

Quelle journée de merde !

35

Long voyage

IL SEMBLE QU'IL Y AIT UN AUTRE BUREAU PAREIL AU NÔTRE SITUÉ À CHICOUTIMI. Il semble aussi que les compteurs de ce bureau soient tous des nuls puisqu'ils ont besoin de notre aide pour faire l'inventaire d'un Checkmart. Avec l'expérience que j'ai acquise lors de ma formation, je suis certain que nous aurons fait le tour du magasin en trente minutes.

Je suis donc là, dans ma chambre, à faire mes bagages alors que ma mère me regarde.

— Tu n'as rien oublié ?

— Non, maman.

Qu'est-ce que j'en sais, moi, si j'ai oublié quelque chose ? Je verrai une fois rendu à l'hôtel.

— T'as apporté ta brosse à dents ?

— Mais oui, maman, dis-je d'un ton exaspéré.

Note à moi-même : apporter ma brosse à dents.

— Tu t'es apporté un livre ?

— Oui, j'en ai mis deux.

Quels livres n'ai-je pas encore lus, déjà ?

— Dépêche-toi, on part dans quinze minutes.

— Ben oui, je suis prêt, là.

Merde ! Il va falloir que je me grouille !

Vite, je fais un tour à la salle de bain pour me soulager et pour prendre ma brosse à dents en douce. Je me choisis deux livres (au cas où ma mère serait prise d'une envie de vérifier si je disais la vérité) et j'attrape mon lecteur MP3.

Seize minutes plus tard, et non quinze comme a essayé de me faire croire ma mère, nous sortons.

— Quelles sortes de chambres ils vous donnent ? me demande ma mère alors que nous sommes en route.

— Je ne sais pas moi, une chambre d'hôtel normale.

— Quel genre d'hôtel ? Pas un hôtel miteux, quand même ?

— Ben non, je ne pense pas. Le genre d'hôtel avec plein d'étages, là.

— C'est quoi le nom de l'hôtel ?

— Je ne m'en souviens pas. Il me semble que je te l'ai dit l'autre jour et que tu l'avais écrit.

— Oui, t'as raison, je l'ai écrit sur le calendrier.

Victoire ! En plein dans les dents, la mère ! Ne me questionne plus jamais !

— Avec qui tu vas être, dans la chambre ?
Elle est sourde, ou quoi ?

— Je ne sais pas moi, sûrement avec Hubert.

— Le collègue de l'autre jour ?

— Oui, c'est ça, mon *ami* de l'autre jour, là.

— Et la fille de l'autre jour, est-ce qu'elle t'intéresse ?

— Quoi ?

Non, mais ! Est-ce qu'elle croit vraiment que j'ai envie de parler d'une chose pareille avec elle ?

Heureusement que nous sommes arrivés.

— Je faisais juste demander, dit ma mère. Pas besoin de pogner les nerfs !

— Qu'est-ce que tu veux que je pogne, la méningite ?

J'ouvre la portière.

— Salut, maman. À demain.

— Eille ! Tu ne m'embrasses pas ?

— Ça n'a pas l'air.

Je ferme la porte et je me dirige vers les cinq personnes qui attendent dehors.

— C'était qui ça ? me demande Hughes. Ta mère ?

— Non, c'était la tienne.

Victoire ! Je suis vraiment sur une lancée, ce soir.

Hubert me serre la main.

— Salut, mec ! Ça va ?

— Toi, ça va ?

Victoire ! Trois en trois ! Le futur champion du monde !

Je vois Frédéric Jobin à travers les portes vitrées qui se dirige vers nous. Au moment où il commence à pousser la porte, je me donne un élan et frappe de tout mon poids. Frédéric reçoit la vitre en plein visage et tombe par terre, inconscient.

Victoire ! Quelle journée magique !

Mais je ne dois pas avoir frappé assez fort parce que Paul se relève et ouvre la porte comme si de rien n'était. Il nous regarde tour à tour, comme s'il se demandait contre lequel d'entre nous il allait blasphémer en premier.

— Il manque encore du monde, dit-il, mais on va quand même rentrer le stock dans les camionnettes.

Il lance des clés à Hughes.

— Tiens, ouvre donc les portes.

Nous devons être exactement vingt compteurs pour nous rendre à Chicoutimi, c'est pourquoi nous avons deux camionnettes, l'une à huit places et l'autre à douze.

Nous plaçons nos sacs dans le plus grand des deux véhicules et Hughes nous fait signe que nous pouvons y prendre place, la raison étant qu'ainsi nous n'aurons pas besoin de les aider avec les autres valises contenant les machines.

Pas fou, ce mec.

Hughes prend place avec Lucie et un homme que je ne connais pas (est-ce que je vais avoir fait le tour des employés un jour ?) alors que je m'assieds sur le banc du milieu avec Hubert.

Trois minutes plus tard, Dominic mène le reste des compteurs jusqu'aux camions, y compris Laurie et Karine qui marchent côte à côte. S'il vous plaît, faites en sorte qu'elles prennent place à bord de notre véhicule, que le chauffeur mette le chauffage au maximum et qu'elles aient une soudaine envie d'enlever leur chandail !

Elles s'arrêtent pour discuter pendant que je croise les doigts. Je ne peux lire sur les lèvres, mais je peux facilement imaginer ce qu'elles disent :

« J'ai envie de Louis.

— Moi aussi.

— J'ai envie de toi aussi, il faudrait faire ça à trois.

— Ah oui ! Quelle bonne idée ! »

Etc.

Finalement, pour m'agacer un peu, peut-être, seule Karine se dirige vers notre véhicule. En s'asseyant à côté de moi, elle dégage ses cheveux de la main et me fait le plus beau des sourires, incluant clin d'œil et langue sur la lèvre (dans mon esprit, en tout cas).

— Salut Louis ! Salut Hubert !

Ce dernier se penche vers elle.

— Salut mec ! Euh… Pas mec, là. En tout cas, salut !

Elle fait entendre son rire, incluant la pose de ses mains sur mes genoux et la descente de son pantalon (je suis beaucoup plus heureux dans mon esprit que dans le monde réel).

— Deux heures et demie pognés ensemble, dit Hubert. Qu'est-ce qu'on va faire ?

Je lève la main.

— Oh ! On fait un tournoi de Puissance 4 !

Karine me pousse avec son coude. Étrangement, je n'arrive pas à m'imaginer en train de répliquer en lui brisant la nuque ou un autre geste tendre du genre. Est-ce que je serais en train de devenir normal ?

— Arrête de rire de moi ! dit-elle.

— Je ne ris pas de toi, j'ai vraiment aimé ça ! Sans blague, est-ce qu'on joue ?

— Moi, je suis partant, dit Hubert.

Je réussis à la convaincre en la menaçant de dire à tout le monde que j'avais entendu dire que j'étais né avec les deux sexes. En fait, je me suis trompé dans ma menace vu que moi et moi seul étais concerné, mais Karine a éclaté de rire et a capitulé quand même.

Ça me fait quoi, aujourd'hui, cinq victoires ? Nul doute que c'est un nouveau record mondial. *Livre des records pour les nuls*, j'arrive !

Nous jouons pendant une heure et, immanquablement, Hubert et moi, nous nous faisons battre à plate couture. Ce ne sont pas vraiment des défaites, par contre, puisque c'était contre une fille et que nous, les gars, nous ne sommes jamais aussi compétitifs contre elles. Contre les gars, oui, nous allons essayer de gagner par n'importe quels moyens (surtout en présence de la gent féminine), mais pas contre les filles.

Nous n'aimons pas non plus admettre nos torts et nos défaites, mais je ne vois pas le rapport avec la présente situation.

— Je suis tanné, déclare Hubert. Est-ce que vous voulez faire autre chose ?

— Comme quoi ? dis-je.

— Je ne sais pas trop.

— Oh ! s'exclame Karine. On pourrait jouer à « fais-moi un dessin ».

— C'est une bonne idée ! On joue !

Nous sursautons tous parce que c'est Lucie qui s'est avancée pour crier dans nos oreilles.

— Comment on fonctionne ? continue-t-elle. On joue en équipe ou tout seul ?

— On peut jouer les gars contre les filles, dit Karine.

— Ce n'est pas juste, dis-je, vous dessinez bien mieux que nous autres.

Est-ce que je viens d'avouer une des faiblesses des gars ? Je devrais être pendu !

— Euh… Pas de problème, je voulais dire. Hubert et moi contre Lucie et toi.

Évidemment, ce n'est pas l'idée du siècle et tout le monde le sait. Je n'ai absolument aucun talent en dessin, ce qui fait en sorte qu'Hubert ne devine jamais rien, et lui dessine à la vitesse d'une tortue, le salopard. Quant aux filles, elles se débrouillent à merveille et réussissent presque à tous les coups.

Nous jouons durant le reste du trajet, nous interrompant parfois pour discuter un peu ou pour narguer l'autre équipe. Nous parlons beaucoup, Hubert et moi, mais en fait, nous perdons par un nombre trop élevé pour que je mentionne un chiffre. Et pour les mêmes raisons que celles mentionnées plus tôt, ce n'est pas considéré comme une première défaite de ma part aujourd'hui. Je dirais même que c'est une grande victoire, mais je n'ai pas encore tous les détails à ce sujet.

L'ambiance est toujours au jeu et à la fête lorsque nous arrivons à l'hôtel et Lucie s'empresse de tous nous inviter dans sa chambre.

Hubert me donne une claque dans le dos.

— Hé ! On prend la même chambre ?

— C'est sûr !

Voilà qui met un terme à mes projets d'être dans la même chambre que Lucie, Karine, Laurie et toutes les autres filles que nous allons croiser dans l'hôtel.

Lucie se penche par-dessus le siège.

— Karine, tu veux être dans ma chambre ?

— Tu ne vas pas être avec Hughes ?

— On ne peut pas être mixtes, il faut absolument être deux gars ou deux filles.

— Ah ! Ben oui, pas de problème.

Ils auraient pu le dire avant, je n'aurais pas perdu tout ce temps à imaginer différents scénarios qu'il est possible de faire avec un gars et trente filles dans une chambre d'hôtel.

Quelques minutes plus tard, Dominic nous donne les clés de nos chambres et nous indique à quelle heure nous devons être descendus le lendemain.

Après avoir promis à Lucie de la rejoindre dans sa chambre dans quinze minutes, Hubert et moi prenons l'ascenseur jusqu'au quatrième étage. Mon ami se contente de jeter son sac sur l'un des lits, mais moi je prends le temps d'ouvrir le mien pour ranger quelques-uns de mes effets personnels.

Je sors ma brosse à dents, une pomme et une barre tendre (que je vais m'empresser de grignoter parce que j'ai faim), mon lecteur MP3...

Merde. Ma mère a oublié de me faire penser d'apporter mon rasoir électrique.

36

9 782896 071630

Nuit blanche

PAUL, QU'EST-CE QU'IL PEUT BIEN FAIRE ICI, CET IMBÉCILE ?

Honnêtement, pourquoi est-ce que tout le monde continue à l'inviter partout ? Si je peux me permettre un retour en arrière, pourquoi est-ce que sa mère ne l'a pas étouffé avec un oreiller à la naissance ?

Au moins, il reste debout dans son coin, sans rien dire. Sur le lit, à côté de lui, Karine est assise dos au mur, Lucie est couchée sur le ventre et Hughes est couché à moitié sur elle. Sur l'autre lit, il y a Hubert et Dominic et je suis fier de dire qu'ils ne sont pas couchés l'un sur l'autre. Finalement, il y a Laurie et moi, assis dans les fauteuils.

Je dois dire que je commence franchement à trouver cette soirée ennuyeuse. Je croyais que nous allions jouer à un jeu ou à quelque chose du genre lorsque Lucie nous a invités, mais tout ce que nous faisons, c'est bavarder tranquillement sans vraiment rien dire. Et en plus, il y a la fumée des cigarettes d'Hughes qui envahit peu à peu la chambre et qui commence à m'embêter. Je ne savais même pas qu'il avait cette habitude avant ce soir et voilà qu'il en fume trois de suite. Bizarre.

Puis, sans avertissement, Lucie se glisse en bas du lit et se dirige vers son sac.

— J'ai envie de fumer, dit-elle.

Quoi ! Est-ce que tout le monde s'est mis à la cigarette en même temps ?

Laurie se lève et fait quelques pas vers notre hôte.

— Eille ! C'est une bonne idée, ça !

Dominic se tourne et pose ses pieds par terre.

— Ouais, bonne idée.

Je… Je ne sais pas trop quoi dire. Est-ce moi qui suis inconscient depuis le début de l'été ? Est-ce qu'il y a eu une rencontre d'employés hier dans laquelle il a été décidé que tous devaient commencer à fumer sous peine d'être exécutés sur la place publique ?

Lucie sort une sorte de pipe ainsi qu'un sac transparent de ses bagages.

— Ah ! dis-je.

Tout le monde se tourne vers moi.

— Non rien.

On se détourne.

Je ne voulais pas m'exclamer tout haut, mais j'ai soudainement compris. Et là, j'ai un problème parce que je n'ai pas envie de me retrouver enfermé dans une chambre d'hôtel avec de la vapeur de marijuana. Déjà que je ne dois pas sentir très bon...

Alors que Lucie prépare les instruments nécessaires à leur plaisir, je me lève et vais voir Hubert.

— Je vais aller prendre un peu d'air. Est-ce que tu viens ?

— Non, je vais rester encore un peu. J'irai te rejoindre plus tard.

— O.K.

Je fais un rapide salut de la main à tous et je sors dans le couloir. Je m'arrête un instant pour me demander quoi faire. Est-ce que je retourne dans ma chambre ou est-ce que je vais faire un tour dehors ? En tout cas, je n'ai pas vraiment envie de me coucher pour l'instant.

J'entends la porte de la chambre de Lucie s'ouvrir, derrière moi, et je crois que c'est Hubert qui a changé d'idée. Je me retourne, le sourire aux lèvres, et je vois Karine qui me regarde.

— J'avais besoin d'air, moi aussi.

J'éclate de rire.

— Ouais, c'était un peu trop, là.

— Ouais. Qu'est-ce que tu faisais ?

— Rien encore. Je me demandais si j'allais dehors ou si je retournais dans ma chambre.

— Au moins t'es chanceux, dit-elle, t'es pas obligé de retourner là-dedans.

— Ben toi non plus, t'as juste à retourner dans ta chambre.

— C'est parce que c'est elle, ma chambre.

Effectivement, je me souviens que Lucie lui a demandé de s'installer avec elle.

J'ouvre la bouche pour lui dire qu'elle n'est pas chanceuse, mais je la referme aussitôt parce que j'ai une idée démentielle, démoniaque même. Est-ce que j'ose ? Est-ce que je défie toutes les lois physiques, psychologiques et thermonucléaires du monde ?

J'ose.

— Pourquoi tu ne coucherais pas dans ma chambre ? Hubert risque de ne jamais revenir de toute façon.

Elle baisse la tête, ce qui fait en sorte que ses cheveux tombent sur son visage et que je ne peux plus voir ses yeux.

— Ben... On n'a pas vraiment le droit, dit-elle.

— Je sais, mais on a juste à ne pas le dire. De toute façon, on va avoir chacun son lit, je ne vois pas où est le problème.

Elle semble encore hésiter. Je me lance avec l'argument final qui cassera sans aucun doute sa volonté.

— Aimes-tu mieux dormir dans la même chambre que moi, un gentilhomme, ou dans la même chambre qu'une bande de fous avec plein de fumée dégueulasse ?

Tiens, voilà que c'est sorti de travers. En fait, ce que je voulais lui dire, c'était que, si elle refusait, elle n'aurait jamais la chance de me faire un striptease. Il faut vraiment que j'apprenne à réfléchir avant de parler.

— O.K., dit-elle, je reviens tout de suite.

Et je n'ai même pas eu besoin de lui parler du striptease. Quelle fille facile !

Elle ouvre la porte et, immédiatement, une bouffée de fumée me fait reculer de quelques pas et cligner des yeux.

Mon Dieu ! Je ne suis sorti que depuis une minute !

Karine court chercher son sac et revient en moins de cinq secondes et je lui en suis très reconnaissant, au point que je suis prêt à la laisser prendre avantage de mon corps toute la nuit.

— Pis, dis-je, qu'est-ce qu'ils ont dit ?

— Quoi ? Rien, ils ne m'ont même pas vue !

— Pour de vrai ? Ils devaient déjà être gelés !

Elle fait entendre son rire.

J'ouvre la porte de ma chambre et la laisse passer en premier (oui, je regarde ses fesses).

— Bienvenue dans mon palais !

— Méchant palais !

— Mieux que le tiens !

— Ouais, j'avoue.

Elle ramasse les livres que j'avais déposés sur le lit.

— Tu lis ça, toi, du fantastique ?

— Je lis un peu n'importe quoi.

— Je vois ça !

— C'est chien ça ! Je t'accueille alors que tu es une sans-abri et toi, tu me traites comme ça ? Je devrais te jeter dehors.

Elle dégage ses cheveux d'un geste de la main et me regarde avec un sourire en coin qui veut certainement dire « si tu me permets de rester, nous prendrons une douche ensemble ».

Je prends le sac d'Hubert et le dépose par terre.

— T'as juste à prendre ce lit-là. Moi, je vais coucher près de la porte d'entrée avec un bâton de baseball, au cas où quelqu'un voudrait entrer pour nous assassiner.

— Comme qui ?

— Je ne sais pas, moi, je dois avoir vu trop de films.

Elle se déplace vers la salle de bain.

— Si ça ne te dérange pas, je vais aller me changer pour être plus à l'aise. Je suis fatiguée et je n'ai pas envie de me coucher tard.

Pourquoi te cacher ? Change-toi ici, ma belle !

Qui a déjà entendu parler d'un gars se faire embrasser par une fille avec une réplique pareille ?

— Bonne idée. Moi non plus je n'ai pas envie de me coucher tard.

Quelques minutes plus tard, nous sommes tous les deux en pyjama et nous regardons la télévision, chacun couché sur son lit. Pas exactement comme dans mes fantaisies, mais respectable.

Karine tourne les chaînes au hasard et tombe sur un épisode de la série *Futurama*.

— Hé ! s'exclame-t-elle. C'est bon ça ! Est-ce que tu connais ?

— Certain ! C'est vraiment bon !

Nous avons raté une dizaine de minutes de l'émission, mais je l'ai tellement écoutée souvent que je la connais par cœur de toute façon. Et Karine aussi, il semble, parce qu'elle s'amuse à dire les répliques en même temps que les personnages.

— Arrête ! dis-je. Toi, tu fais les filles et moi je vais faire les gars, O.K. ?

— O.K. !

L'idée n'est pas aussi géniale que je l'aurais cru puisque je ne semble pas connaître les répliques autant qu'elle. Une fois sur deux, je bafouille n'importe quoi et Karine ne cesse de rire.

— Arrête de rire de moi ! C'est pas facile !

— T'es vraiment nul ! dit-elle.

— Est-ce que tu passes tes soirées à écouter ça, ou quoi ? Genre en te pratiquant pour tes tournois de Puissance 4 ?

— Ben non. Mais la télévision est souvent allumée, chez nous. Je l'écoute même quand je fais des devoirs et quand j'étudie.

— Quelles autres émissions est-ce que t'écoutes ?

— Ben… Y'a *Futurama, les Simpsons, Friends, That 70's Show…*

— Hein ! Tu connais ça, *That 70's Show* ? C'est vraiment bon !

— Vraiment !

Nous parlons encore de nos émissions favorites pendant quelques minutes avant de nous rendre compte que nous bâillons entre chaque phrase. Je n'ai pas le goût de dormir tout de suite parce que j'aime parler ainsi avec Karine, mais celle-ci ne semble pas être du même avis.

— Il faudrait qu'on se couche, dit-elle. Il faut qu'on se lève de bonne heure, demain matin.

À contrecœur, j'admets qu'elle a raison. Alors qu'elle éteint le téléviseur, je me lève pour éteindre la lumière avant de me glisser sous les couvertures.

— Bonne nuit, dis-je.

— Bonne nuit.

Mais je ne ferme pas les yeux. Je regarde le plafond en attendant qu'ils s'habituent à l'obscurité.

— Est-ce que t'as vu les films de *Futurama* ? me demande-t-elle.

Je me tourne sur le côté. Je ne la vois pas encore, mais ça viendra.

— Certain ! C'est vraiment bon, hein ?

— Oui. Quels autres films que t'aimes ?

— Ben… Pour t'en nommer une couple, j'aime bien *Le Seigneur des Anneaux*, *La Matrice*, *La Liste de Schindler*…

Je l'entends se tourner dans son lit. J'imagine qu'elle me fait face, maintenant.

— C'est bon ça, *La Liste de Schindler* ! J'ai tellement pleuré, à la fin.

Dans aucune circonstance, un gars doit avouer qu'il a pleuré en écoutant un film. Aucune. À moins d'être certain de voir une fille nue s'il le fait.

Ceci n'est pas une exception et je ne dois donc pas lui avouer que moi aussi j'ai versé quelques larmes pendant ce film. Et pendant *Titanic*.

— Moi, je n'ai pas pleuré, mais je comprends que c'était triste. C'est vraiment un chef-d'œuvre, ce film !

— Oui. Quels autres films est-ce que t'aimes ?

— Euh…

Qu'est-ce que je peux bien lui nommer comme titre qui me fera avoir l'air viril et sensible à la fois ? *Spiderman* ? Non. *Casino Royal* ? Peut-être. *Zombie Strippers* ? Définitivement non.

Puis je me souviens d'un film que j'ai adoré et que je me suis promis de faire connaître à tout le monde (je ne l'ai montré qu'à ma sœur pour l'instant et elle n'a pas ri une seule fois).

— Oh ! Est-ce que tu connais *The Lost Skeleton of Cadavra* ?

— Non, c'est quoi ça ?

— C'est vraiment génial ! C'est un film assez récent, mais c'est en noir et blanc et c'est fait comme les vieux films de monstres, avec des effets spéciaux super nuls. C'est tellement drôle !

— Ah ? Je ne connais vraiment pas.

— Faut que tu voies ça un jour. Le monstre est tellement mal fait que tu vois les souliers du gars !

Elle éclate de rire.

— Ça a l'air drôle ! Va falloir que tu me montres ça !

Tout devient soudainement silencieux dans la pièce. Ne sachant plus quoi dire, je dis la chose la plus stupide au monde.

— Faudrait peut-être qu'on dorme un peu, hein ?

— Oui. Bonne nuit.

— Toi aussi.

Je me couche sur le dos. Évidemment, puisque ce n'est pas mon lit, je ne suis pas du tout à mon aise. Même si j'essayais de dormir, je n'en serais sûrement pas capable.

Il ne reste plus qu'une chose à faire.

— Quelle sorte de musique tu écoutes ? dis-je.

D'une voix encore claire, ce qui me prouve qu'elle n'était pas non plus sur le point de s'endormir, elle me répond :

— Pas mal juste du pop rock. J'aime bien *Panic at the Disco*, du vieux *Third Eye Blind*, *Nada Surf*…

— Tu connais *Nada Surf* ? C'est super, ça !

— Oui, c'est vraiment excellent ! Est-ce que tu connais *Creeper Lagoon* ?

— Non.

— Ils ne sortent plus grand-chose, maintenant, mais les premiers albums sont super.

— Faudrait que tu me fasses écouter ça, dis-je.

— Oui, c'est sûr.

Comme plus tôt, le silence se fait entre nous deux. Cette fois-ci, c'est elle qui annonce :

— Faudrait vraiment qu'on dorme, cette fois, sinon demain, on va être trop fatigués.

— Oui, t'as raison. Bonne nuit.

— Bonne nuit.

Je me tourne sur le côté, dos à elle. J'aurais bien pu me tourner sur ma gauche, mais j'aurais passé la nuit à l'observer, comme un dément obsédé par les filles, ce que je ne suis que le jour. Et lorsque je rêve. Et la nuit, quand je suis réveillé.

— Est-ce que tu fais du sport ? me demande Karine.

37

Apprendre à compter en gros (première partie)

Je n'ai jamais vu autant de compteurs de ma vie. Même moi, je suis trop découragé pour les dénombrer !

Nous sommes dans l'entrepôt du Checkmart de Chicoutimi et nous attendons les instructions. J'ai les yeux secs et je bâille toutes les cinq secondes puisque je n'ai réussi à m'endormir qu'au petit matin. Karine, elle, a les yeux qui se ferment tout seuls et je dois lui donner des coups de coude pour la ramener à l'ordre.

Étonnamment, Hubert, Lucie et les autres ont l'air en forme, ce matin. Ils sont présentement en train de discuter avec des employés du bureau de Chicoutimi qu'ils connaissent peut-être déjà pour les avoir vus avant. Sauf Hubert qui ne doit pas les connaître, mais qui est quand même aussi social et enjoué que d'habitude.

Je saute presque de joie lorsque le directeur du bureau de la région attire notre attention pour former les équipes.

Bien que je n'aie qu'une envie, celle de retourner chez moi et de me coucher dans mon lit avec Laurie et Karine, je me force à garder les yeux ouverts et à suivre le reste de mon équipe lorsqu'on appelle mon nom. Au moins, je vois que je suis dans la même équipe que Laurie, ce qui devrait me garder éveillé pendant un certain temps.

— Salut, lui dis-je. Bien dormi ?

— Pas beaucoup, mais oui. Toi ?

— Pas beaucoup, mais oui.

Elle me fait un sourire.

— Comment tu fais pour être aussi réveillée ? lui dis-je.

— J'ai calé un Red Bull, tantôt.

— Es-tu sérieuse ? À cette heure-là ?

— Ben oui. Pourquoi pas ?

— Me semble que c'est dégueulasse.

Elle me donne un coup d'épaule pendant que nous marchons.

— C'est toi qui es dégueulasse !

Je lui lance un coup de coude en plein visage et elle vole trois mètres en arrière, dans une pile de souliers qui traînent par terre.

Enfin, le retour de mes fantasmes sur la violence physique faite aux autres ! Je dois être en train de retrouver la forme !

Nous arrivons finalement dans notre section où notre superviseur nous dirige chacun vers différents articles. Je me retrouve devant une foule de bobines de fil.

C'est une blague, ou quoi ? La section est tout en désordre. Qu'est-ce que je suis sensé faire avec ça ? Dans un seul panier, il y a du fil rouge, bleu, vert, jaune… Et les codes à barres qui sont différents pour chaque couleur, en plus.

J'accroche le superviseur qui passe tout près et lui montre la section du doigt.

— Je fais quoi avec ça, moi ? Je les scanne un par un ?

Il jette un coup d'œil, puis hausse les épaules.

— Ben non, tu peux faire des quantités.

— C'est parce que c'est tout mêlé !

Il me donne une grande claque dans le dos.

— Fais de ton mieux, mon homme !

Ton homme ? Je ne suis l'homme de personne !

Je veux lui donner un bon coup de machine dans l'entrejambe, mais il est déjà loin.

Bon. Je prends une grande inspiration. J'essaie d'oublier que je n'ai presque pas dormi. J'essaie de me motiver en me disant que Laurie est peut-être en train de me regarder.

Je scanne une bobine de fil bleu et j'utilise ma main libre pour compter les autres bobines identiques dans le panier. Il y en a dix-huit.

Ce n'est pas si mal, en fin de compte. Il s'agit de rester bien concentré et d'être sûr de ne pas compter une même bobine deux fois.

Je passe aux rouges, maintenant. Il y en a dix-neuf, dont une qui semble un peu plus petite que les autres. Qu'est-ce que c'est que cette histoire, encore ? Non, il n'y en a pas qu'une, mais plusieurs de tailles plus petites. Et pas seulement pour les rouges, pour toutes les couleurs.

Je prends deux bobines rouges de tailles différentes et je regarde les codes à barres.

Merde ! Les chiffres sont différents ! Saloperie !

Je voudrais bien faire tomber tous ces maudits paniers par terre, mais j'ai l'impression que la direction du Checkmart ne serait pas très contente.

Je prends une grande inspiration.

— Excusez-moi, jeune homme.

C'est une vieille dame qui s'est approchée de moi sans faire de bruit.

— Je cherche un livre, pour mon petit-fils.

Elle est aveugle ou quoi ? Vous n'êtes pas dans la section des livres, ici, mais dans celle des bobines de fil !

— Désolé, madame, je ne travaille pas ici.

Elle me regarde avec de gros yeux. Elle regarde les autres compteurs, dans la rangée. Elle me regarde à nouveau.

Visiblement, elle ne comprend pas.

38

Apprendre à compter en gros
(deuxième partie)

J'AI FINI PAR M'EN SORTIR. MAIS JE DOIS AVOUER QUE J'AI TRICHÉ UN PEU EN ME FOUTANT COMPLÈTEMENT DE CE QUE JE COMPTAIS DANS LES DEUX DERNIERS PANIERS. Saleté de bobines de fil. Jamais plus je ne demanderai à ma mère de me payer des cours de couture.

Enfin, je veux dire jamais, pas jamais plus. Comme si j'avais déjà eu envie de coudre…

Bref, je m'en suis sorti et je dois avouer que les autres sections étaient beaucoup plus propres et faciles à compter. Il ne reste plus qu'une dizaine de minutes avant l'heure du lunch et je commence à avoir sérieusement faim; j'ai l'impression que mon estomac est en train de me dévorer de l'intérieur.

Note à moi-même : chercher des vidéos d'estomacs qui dévorent de l'intérieur sur Youtube.

À mon grand plaisir, Laurie s'amène juste à côté de moi pour m'aider. Elle a l'air un peu pâle, contrairement à ce matin.

— Ça va ?

— Oui, dit-elle. Je commence à être pas mal fatiguée. Et j'ai faim.

— Ouais, moi aussi.

Je m'approche d'elle, comme pour lui murmurer un secret.

— Hé ! Si tu veux manger quelque chose en attendant, t'as juste à faire comme moi et à prendre une couple d'affaires que t'es en train de compter.

— C'est parce qu'on est en train de compter des jouets pour les animaux.

— Tu vas voir, ça soutient !

— T'es vraiment con ! me dit-elle en riant.

Je jette un œil sur ma montre. Plus que huit minutes avant la pause.

— Je le fais si tu le fais, dit-elle.

— C'est parce que j'en ai déjà mangé, avant que t'arrives. Je suis plein !

— Tu viens juste de dire que t'as faim, comme moi !

— Ben là ! Je viens de manger des jouets, faut pas que tu t'attendes à ce que je sois cohérent !

Elle me fait une grimace.

— De toute façon, vous autres, les gars, vous n'êtes jamais cohérents.

— C'est chien ça ! Pourquoi tu dis ça ?

— Vous faites comme si vous nous trouviez belles, pis après, vous allez voir ailleurs !

De quoi est-ce qu'elle parle ? Est-ce qu'elle me vise, moi, ou bien quelqu'un d'autre ? Les gars en général, peut-être ?

Et qu'est-ce qu'elle a à donner des leçons, l'allumeuse ?

— C'est vrai, dit-elle, je ne vous comprends vraiment pas. Vous êtes vraiment bizarres.

Bon, comme je suis le seul gars dans la région immédiate, j'imagine que je dois défendre l'ensemble des mâles. Est-ce que j'ai recours à la violence physique ou est-ce que je discute ? La prison ou la maison ?

Essayons de la raisonner, d'abord, avec un argument réfléchi et posé.

— Et les filles, d'abord ?

— Quoi les filles ?

— Tu penses que vous êtes moins bizarres ? Vous êtes ben moins compréhensives que les gars !

— Comment ça ?

C'est vrai ça, pourquoi ? J'avais dit un argument réfléchi, espèce d'idiot !

— Ben… Euh… Vous dites une chose pis vous en pensez une autre !

Il me semble avoir déjà entendu ça quelque part.

— Ah ouais ? demande-t-elle. Donne-moi donc un exemple !

— Euh… Des fois, vous dites que vous allez bien, mais en fait, vous allez mal.

N'importe quoi !

— Oui, dit-elle. C'est vrai qu'on fait ça des fois.

Quoi ? C'est tout ? C'était quoi cette montée de lait si elle abandonne aussi rapidement ?

Et après, elle ose dire que les gars sont insondables…

— J'ai faim, dis-je pour changer de sujet.

— Moi aussi.

Elle aussi ? Je ne me laisserai certainement pas faire ainsi !

— J'ai plus faim que toi, dis-je.

— Ça me surprendrait.

— Je gage que je vais manger deux fois plus que toi !

— Ça se peut très bien, mais ça ne veut rien dire. Tu vois, tout dépend de la grosseur de notre estomac. Si toi, tu en as un très gros et moi, un très petit, tu peux manger deux fois plus, mais pas remplir le tien alors que le mien déborde.

Euh… Qu'est-ce que je suis censé répondre à ça ?

39

Interlude

J'AI TELLEMENT FAIM QUE JE MANGERAIS UN CHE-
VAL. QUI EST L'IDIOT QUI A DIT ÇA EN PREMIER ?
Pourquoi est-ce que je mangerais de cet animal ? Qui a déjà entendu parler de quelqu'un
mangeant du cheval ?

J'ai tellement faim que je mangerais une
salade. Voilà qui n'est pas mieux. Il doit bien
y avoir un juste milieu.

Je mangerais bien une poutine avec deux
hot-dogs. Trop banal.

Un steak ? Une pizza ? Du macaroni ?

Ça y est, j'ai trouvé !

— Hé, Hubert !

— Quoi ?

— J'ai tellement faim que je mangerais un
ours !

— Ouais, moi aussi.

Merde ! J'aurais dû y aller avec la salade.

Laurie, Karine, Hubert et moi, nous arrivons au restaurant où il n'y a presque personne, même en pleine heure du lunch.

— Vite avant que les autres compteurs arrivent et prennent toutes les places, dit Laurie.

Je me dirige vers le Tiki-Ming, ayant le goût de manger du poulet à l'ananas.

— Qu'est-ce que tu vas prendre ? me demande Karine qui m'a suivi.

— Un trio Big Mac.

— Tu te rends compte que tu n'es pas au MacDo, hein ?

— Ils iront en acheter un et ils me le rapporteront ici !

— Épais !

Nous commandons et, arrivé à la caisse enregistreuse, je fais signe que je vais payer pour les deux repas.

— Tu n'as pas besoin de faire ça, me dit Karine.

— Je sais. C'est pour m'excuser de t'avoir gardé éveillée toute la nuit avec mes questions et mes histoires.

Alors que nous cherchons une table (il y a trop de choix, nous sommes un peu perdus), elle me regarde.

— Et moi, qu'est-ce que je vais faire pour m'excuser ? Moi aussi je t'ai posé plein de questions et je t'ai raconté des histoires.

— T'as juste à me rembourser pour le lunch.

Elle éclate de rire.

— T'es vraiment con !

Nous prenons place. Alors qu'elle a la tête baissée dans sa nourriture, les cheveux lui tombant sur le visage, comme d'habitude, elle me lance un merci timide, comme si elle avait peur que je lui saute dessus.

— De rien. En espérant que ça soit bon, au moins.

— Probablement.

Quelques secondes plus tard, alors que j'ai une bouchée trop grosse dans la bouche, Hubert revient du Ashton et Laurie du Subway.

— Ç'a donc ben l'air bon votre affaire, dit Hubert. Avoir su, j'aurais pris ça ! On échange ?

— Non !

Comme Karine et moi avons répondu en même temps, nous nous regardons et rions comme si c'était la chose la plus drôle au monde.

— Voyons, dit Laurie, ce n'est pas si drôle que ça.

— On est fatigués, dis-je. On a le droit de rire.

J'essaie de manger tranquillement malgré la faim, mais je ne peux m'empêcher d'être distrait par Hubert qui dévore son repas en deux minutes seulement.

— Si tu comptais comme tu manges, dis-je, peut-être qu'on aurait déjà fini le magasin !

— Manger, c'est une question de survie !

— Oui, mais pour manger, il faut de l'argent, et pour avoir de l'argent, il faut que tu travailles. Travailler aussi c'est une question de survie.

— Oui, mais c'est parce que si je ne mange pas, je vais mourir. Je n'ai pas le choix de manger. Pour l'argent, il y a des choix. Si je suis pas commis à l'inventaire, je peux être commis dans un dépanneur, plongeur ou astronaute.

— Attends, attends ! Comment tu fais pour passer de commis à l'inventaire à astronaute ?

Karine me jette un regard amusé. Laurie nous regarde comme si nous étions deux tarés qui discutent du meilleur moyen d'éplucher des patates.

— Je nomme des métiers comme ça, au hasard. Je ne dis pas que j'aimerais ça être astronaute.

— Je ne pense pas que ce soit une question d'aimer ça ou pas, c'est plus une question de capacités. Commis à l'inventaire, n'importe qui est capable de faire ça, mais astronaute…

— Je sais bien, je ne fais que parler pour parler.

— Je sais, je te niaise.

Il fait semblant de me jeter son verre de boisson gazeuse à la figure.

— Va chier !

Nous éclatons tous de rire, sauf Laurie qui nous regarde avec de gros yeux.

— O.K., dit Hubert. Qu'est-ce que vous voulez vraiment faire dans la vie, vous autres ? Je veux dire, si vous pouviez faire n'importe quoi, là, sans restrictions, ce serait quoi ?

Oh non ! Ce n'était pas une bonne question, ça. J'espère que personne ne va répondre.

— Je vais commencer, continue Hubert. Si jamais je pouvais faire ce que je voulais, je serais batteur dans un groupe rock.

Merde ! Je ne peux pas dire la même chose, j'aurai l'air de quoi ? Vite, une alternative…

— O.K., dit Karine. Si je pouvais faire ce que je voulais, je serais propriétaire d'une galerie d'art et j'exposerais mes peintures.

Bon, je n'aurais jamais dit une chose pareille, mais je n'ai toujours pas de réponse. Joueur d'un sport professionnel ? D'accord, mais lequel ? Top modèle ? Dans mes rêves ! Acteur ? Jamais de la vie !

Je pourrais dire acteur quand même. Tout le monde veut être acteur. Pourquoi pas ?

— Moi, dit Laurie, je serais actrice.

Bon ! Qu'est-ce que je fais, maintenant ? À moins que je ne dise que je veux professionnellement frotter de l'huile sur des filles en maillot de bain, comme les gars à la fin du film *La Cloche et l'Idiot*… Non, je pourrais dire une chose pareille à Hubert, mais pas aux filles.

Je regarde mes trois amis tour à tour et je vois bien qu'ils attendent une réponse.

Merde.

— Faut que j'aille aux toilettes, dis-je.

40

Apprendre à compter en gros
(troisième partie)

QU'EST-CE QUE JE VEUX FAIRE DANS LA VIE ? SATANÉ HUBERT, MAINTENANT, C'EST TOUT CE À QUOI JE PEUX PENSER.

J'ai 18 ans, à la fin, comment est-ce que je peux savoir ce que je veux faire dans la vie ? Ce n'est pas comme si on vivait encore en l'an 1950 et que j'étais forcé d'apprendre à vivre sur une ferme; aujourd'hui, nous avons le choix. Nous avons trop de choix !

Ce n'est pas comme si je m'étais trouvé un talent particulier, non plus. Je suis un bon commis à l'inventaire, un excellent commis même, mais il n'est pas question que je fasse ce métier toute ma vie. Je n'ai aucune difficulté à obtenir de bonnes notes à l'école, mais je ne suis le meilleur dans rien.

Je n'aime aucun sport en particulier et je n'ai pas de talents particuliers que je pourrais exploiter dans un cirque. En fait, on ne peut trouver un être plus banal que moi. Si on me mettait dans le livre des records Guinness, je serais gagnant dans la catégorie « banalité humaine ».

J'y pense, est-ce que l'on peut gagner sa vie en étant banal ? Je pourrais demander cinq dollars de l'heure pour m'observer. Je pourrais faire de la publicité auprès des suicidaires; ceux-ci passeraient une heure à m'observer et se diraient que leur vie n'est pas si ratée, à la fin.

Il faudrait que je me trouve un logo…

Saloperie ! Qu'est-ce que je dis là ? Je divague complètement !

Ce sont ces maudits portefeuilles aussi qui m'emmerdent. J'ai beau essayer de compter plus vite, les codes à barres se trouvent tous à l'intérieur des portefeuilles et je dois les ouvrir un par un pour les scanner.

J'ai hâte d'avoir terminé cet inventaire, de retourner à la maison et de me coucher.

Lorsque j'ai finalement terminé ma section, je bouge mon cou de gauche à droite pour me dégourdir un peu. Un mouvement attire mon attention et je vois Karine qui me fait signe d'approcher. J'obéis.

— T'as l'air mort, me dit-elle.

— Vraiment ? C'est donc ça, la mort… C'est vraiment comme la vie, en fin de compte.

Elle tire la langue et j'ai l'impression qu'elle va me montrer son majeur, mais elle ne le fait pas.

— Prends la section à côté de moi, dit-elle.

— Euh… Je devrais peut-être demander au superviseur, avant.

— On s'en fout ! Allez, vas-y.

J'obéis encore. Si le superviseur me pose des questions, je lui dirai que c'est lui-même qui m'en a donné l'ordre et j'insisterai comme si j'en étais convaincu.

À moins que je ne sois déjà mort, comme Karine l'a dit, et plus rien n'a d'importance. Comment savoir ?

— T'es sûr que ça va ? T'as vraiment l'air pâle.

Il n'y a pas de miroir dans le coin, mais je suis certain qu'elle a raison. Qu'est-ce que je peux bien lui dire qui serait amusant ? Je suis pâle parce que je n'ai pas pris de soleil de la journée. Je me suis maquillé. Je suis un vampire.

Tiens, pas mal.

— Je ne sais pas ce que je veux faire dans la vie.

Drôle de façon de dire que je suis un vampire, imbécile. Qu'est-ce qui m'a pris ? Je n'avais aucune intention de lui révéler mon indécision !

— Moi non plus, dit-elle.

— Menteuse ! Tantôt t'as dit que tu voulais avoir une galerie d'art.

— Oui, mais c'était un rêve ça. Si un jour j'ai les moyens de le faire, peut-être.

— C'est ça que je dis, moi, je n'ai pas de rêve. Je n'en ai aucune idée.

Pourquoi est-ce que je continue à en parler ?

— C'est pas tous les rêves qui sont aussi évidents que le mien. Je suis certaine que t'as un rêve, Louis. Il s'agit simplement que tu y penses comme il faut.

Effectivement, j'ai plusieurs rêves. Érotiques, pour la plupart. Est-ce que ça compte ? Je n'ose pas le lui demander.

— T'es bien gentille, mais je n'ai aucun rêve. Je ne sais pas ce que je veux faire dans la vie.

— Ton rêve n'est pas obligé d'être en lien avec le métier que tu veux exercer plus tard, ça peut avoir rapport avec n'importe quelles facettes de ta vie.

Je m'arrête complètement de compter pour la regarder.

— Es-tu en train de parler un langage secret que juste les filles comprennent ? C'est quoi que t'essaies de me dire, au juste ?

Elle s'arrête elle aussi de travailler pour me regarder.

— Louis, tout ce que je te dis, c'est d'y penser un peu. Je suis sûre que tu vas te trouver un rêve.

Alors qu'elle me regarde ainsi droit dans les yeux, je ressens soudainement une légère douleur à l'estomac. Étrangement, cette crampe arrive en même temps qu'une pensée dans mon esprit : pourquoi est-ce qu'il faut qu'elle ait un petit ami, celle-là ?

— Ça va, vous deux ?

C'est le superviseur qui est arrivé en douce derrière nous.

— Oui, dis-je. On était juste en train de parler du meilleur moyen de compter les ceintures.

Il plisse les yeux.

— C'est pas compliqué, t'as juste à les scanner une par une.

— Oui, dis-je en hochant la tête, c'est ça qu'on pensait.

Il me regarde comme si je le dégoûtais et puis il s'en va. Heureusement qu'il ne revient pas à Québec avec nous, celui-là.

Je fais un clin d'œil à Karine qui a l'air amusée et je recommence à travailler. La douleur à l'estomac s'est estompée, et je me sens bien à nouveau. Ça doit être cette bouffe chinoise qui m'a affecté.

41

Apprendre à compter en gros (quatrième partie)

C E QUI EST BIEN, LORS DE L'INVENTAIRE D'UN CHECKMART, C'EST QUE TOUT LE MONDE TERMINE AU MÊME ENDROIT PAR CE QUI EST LE PLUS FACILE : LES VÊTEMENTS. Pas par les maudits accessoires, comme les portefeuilles et les ceintures, mais plutôt par les chemises, les t-shirts, etc.

Ce qui est encore mieux, c'est que lorsque toutes les sections sont terminées, vous êtes tellement heureux d'être libre à nouveau que vous vous jetez dans les bras de n'importe qui pour l'embrasser.

C'est pourquoi j'attends patiemment à côté de Laurie. J'ai fini de travailler, pas elle.

— Ça irait beaucoup mieux si tu ne me regardais pas travailler, dit-elle.

— Ah ! On ne peut pas tout avoir dans la vie !

— T'as rien d'autre à faire ? Vraiment ?

— Je pourrais repasser mon linge, mais j'aime mieux te regarder.

Elle fait comme si elle était embêtée, mais je vois bien qu'elle sourit. C'est pourquoi j'ose aller plus loin encore.

— Je ne vois pas pourquoi t'es surprise, d'abord, c'est toujours ça que je fais pendant les inventaires.

— Quoi, ça ? Me regarder ?

— Ben oui. On m'a engagé juste pour ça.

— Méchant travail plate, ça !

— Au contraire ! Je pense même en faire une carrière. Quand tu vas te trouver autre chose, je vais te suivre.

— Ça fait que je suis pognée avec toi pour le restant de mes jours, c'est ça ?

Est-ce que j'ose ? J'ose.

— Ou jusqu'à ce que je trouve une fille plus belle.

Je fais une pause. Suspense. Pas trop long, quand même.

— Ce qui ne risque pas d'arriver.

Ce n'était pas trop mal, comme réplique. Pas une réplique qu'on pourrait mettre dans un film, mais pas si mal non plus.

Voyons sa réaction, maintenant.

— T'es un charmeur, tout à coup ?

— Juste avec toi.

Je ne suis pas certain, mais je crois qu'elle rougit légèrement. Soit que mes remarques l'ont fait réagir, soit qu'elle est atteinte d'un virus rare qui provoque la fièvre instantanément. Il faudrait que je vérifie sur Internet si ce genre de virus existe.

Elle compte ses derniers items et inscrit les renseignements nécessaires sur le billet. J'ouvre grand les bras et ferme les yeux. Dans une seconde, elle va se jeter sur moi comme un animal.

— Enfin fini ! dit-elle. Je vais aller me faire télécharger.

Et elle passe à côté de moi sans même me toucher. Déçu, je retourne dans l'entrepôt, la tête basse, pour rejoindre mes amis.

— Hé ! s'exclame Hubert. T'étais où ?

— J'étais…

Je m'interromps en apercevant Karine qui s'approche de nous.

— J'étais en train de taxer des petits jeunes dans le magasin.

— Je ne veux pas t'offenser, dit Karine, mais si t'essaies de taxer des petits jeunes, c'est eux autres qui vont t'en sacrer une.

— Je suis plus fort que j'en ai l'air, tu sauras !

— J'espère !

— J'ai hâte de me coucher, dit Hubert.

Karine et moi, nous nous tournons vers lui. C'était quoi, cette remarque ? Il aurait pu au moins continuer de jouer comme nous.

Je dois avouer que, moi aussi, j'ai bien hâte de retrouver mon lit. Et pour la première fois de ma vie, je n'insinue pas que j'aimerais coucher avec une fille, je veux vraiment m'étendre et dormir. Avec une fille.

— Quand est-ce qu'on s'en va ? dis-je.

— Dominic m'a dit tantôt qu'on partirait dans vingt minutes à peu près.

— Pensez-vous qu'on peut aller tout de suite s'asseoir dans la camionnette ?

— Bonne idée, dit Hubert. Je vais aller le lui demander.

Il nous laisse seuls. Je me tourne vers mon amie.

— Pis, comment c'était le Checkmart ?

— Plate. Toi ?

— Excitant.

— Vraiment ?

— Non.

Elle hoche la tête, presque tristement.

— En plus, j'ai été pognée avec Frédéric Jobin pendant un bon moment. C'était vraiment poche. Je ne comprends pas comment les autres font pour l'endurer.

— C'est vrai ça, dis-je, on dirait qu'on est les deux seuls qui comprennent que c'est un cave, ce gars-là. Est-ce qu'il t'a engueulée aujourd'hui ?

— Non, mais il a pas été gentil non plus. Je commence à être pus capable, pour être honnête.

— Ouais, je comprends.

J'ai l'air calme, comme ça, mais en vérité, je suis assez énervé. Il ne s'acharne pas sur moi comme il le fait avec elle, mais c'est justement parce qu'il s'acharne sur elle que son comportement m'affecte autant. Je sais bien que je n'ai aucune chance avec Karine, surtout qu'elle est déjà prise, mais elle me plaît quand même et être son ami est mieux que de ne rien être du tout. Pour une fois que j'ai une amie, j'ai envie de la défendre.

Je vais retrouver Paul et lui mettre mon poing sur le nez.

— Hé ! dit Hubert. J'ai les clés !

Mais avant, je vais aller m'étendre un peu.

42

Inconscience

NOUS PRENONS PLACE SUR LA BANQUETTE AR-RIÈRE ET, QUELQUES MINUTES PLUS TARD, JE M'ENDORS. Je me réveille lorsque la portière s'ouvre brusquement et je regarde autour de moi, confus. Ce sont les autres compteurs qui prennent place dans le véhicule, prêts à faire le voyage de retour. Une minute plus tard, nous commençons à rouler.

À peine le véhicule se met-il en mouvement que je m'endors à nouveau. J'ai vaguement conscience d'être bousculé et d'être couché sur l'épaule de Karine. Un moment plus tard, je pose ma tête sur l'épaule d'Hubert.

Pourquoi est-ce que je me suis assis au milieu, aussi ?

J'essaie de tenir ma tête bien droite, sur la banquette, mais il n'y a rien à faire : je ne cesse de tomber d'un côté et de l'autre.

Bon, je ne peux pas passer trois heures à déranger mes voisins, autant rester éveillé.

Au moment où je prends cette résolution, le véhicule s'arrête et la voix de Dominic se fait entendre :

— On est arrivés !

Quoi ? Déjà ?

Karine ouvre les yeux, mais Hubert ne bouge pas. Je le secoue fortement jusqu'à ce qu'il se réveille et il me regarde avec de petits yeux.

— C'est l'heure de travailler ?

— Non, dis-je en riant. C'est l'heure d'aller chez vous.

— Ah ! Encore mieux.

Je regarde ma montre en sautant du véhicule : 19 h 47. Et je n'ai rien mangé depuis l'heure du lunch, en plus. Difficile à dire ce qui m'embête le plus, la faim ou le sommeil.

Je laisse mes collègues s'occuper des machines et des imprimantes et j'entre dans la bâtisse pour appeler mes parents. Après diverses négociations, ma mère m'assure qu'elle sera là dans dix minutes. Je raccroche et, en reculant, je me bute contre Karine qui attendait derrière moi.

— Excuse-moi, je ne t'avais pas vue !

J'aurais pu l'écraser avec mon physique imposant, la pauvre !

Mais elle se contente de rire.

— Ne t'inquiète pas, tu n'es pas assez gros pour me faire mal !

C'est gentil à elle de faire semblant que je suis un être aux proportions normales alors qu'en vérité, je suis tout en muscles.

— Faut que j'appelle un taxi, dit-elle en décrochant le téléphone.

— Pas besoin, ma mère va te ramener.

Habituellement, lorsqu'on essaie de lui rendre service, il faut toujours se battre un peu pour la convaincre. Pourtant, cette fois-ci, elle me regarde avec des yeux fatigués.

— Pour vrai ? Ça ne la dérangera pas ?

— Ben non, inquiète-toi pas !

Elle raccroche et vient regarder par la vitre, à côté de moi.

— O.K., merci.

— De rien.

En espérant que ma mère veuille bien lui rendre ce service. De toute façon, si Karine entre avec moi dans la voiture, qu'est-ce qu'elle peut bien faire d'autre ? Elle ne peut quand même pas lui dire de sortir !

Ou peut-être que si ?

Non, elle ne peut pas. Enfin, j'espère. Ma mère peut être sévère, parfois, mais elle n'est pas cruelle.

Pourquoi est-ce que je suis aussi inquiet, tout à coup ?

Douze minutes plus tard, et non dix comme a essayé de me faire croire ma mère, elle se pointe avec la voiture. Comme je l'avais prédit sans aucun doute possible, elle accepte de faire un petit détour pour ramener ma collègue (oui, elle continue d'appeler mes amis, mes *collègues*).

Alors que nous apercevons l'immeuble où habite Karine, au loin, j'en profite pour lui demander d'une voix innocente :

— T'habites quel appartement là-dedans, au fait ?

— J'habite le 63, au troisième. Pourquoi, tu veux venir m'espionner ?

Oh non ! Elle lit dans mes pensées ! Elle sait tout ! Mon obsession avec les filles, l'amour que je porte à la lasagne de ma mère et ma peur du futur ! Pire : ma peur des clowns !

— Ben non, dit-elle, je te niaise !

Fausse alerte ! Nul besoin de paniquer, elle ne peut pas lire mes pensées...

Pourquoi est-ce que je sue autant, tout à coup ?

Ma mère immobilise la voiture et Karine me fait un signe de la main.

— Salut ! À demain !

Je lui rends son salut et je la regarde s'éloigner alors que je recommence à ressentir cette douleur dans l'estomac. Inconsciemment, je frotte mon ventre d'une main et, évidemment, ma mère le remarque et se met à paniquer.

— Qu'est-ce que t'as ? T'as mal au ventre ?

— Ben non ! Pourquoi est-ce que chaque fois que je me frotte le ventre ou la tête, il faut que j'aie mal ?

— O.K., d'accord.

Victoire ! Ça lui apprendra à s'inquiéter pour moi ! Elle devrait me laisser tranquille jusqu'à la maison.

En attendant, par contre, j'ai toujours mal au ventre.

43

Apprendre à compter des appareils photo (premier flash)

FAUTE DE POUVOIR COURIR AUSSI VITE QUE BARRY ALLEN OU DE VOLER À LA CLARK KENT, JE PRENDS L'AUTOBUS POUR ME RENDRE À MON TRAVAIL. Un jour, je me trouverai des pouvoirs, moi aussi, et je ferai en sorte que le monde entier soit à mes pieds !

Ou je me trouverai un emploi stable et je m'achèterai un chien, je n'ai pas encore décidé.

Je descends de l'autobus devant le centre commercial Place Chartier et je marche tranquillement en direction des portes. Je suis encore en avance; alors, je n'ai pas besoin de me presser.

— Salut !

Je sursaute puisque, en fait, le « salut » a été dit assez fort, tout près de mes oreilles, par Karine qui s'est approchée sans bruit avec l'intention de me surprendre.

Mission réussie.

— Allô, lui dis-je, comme si de rien n'était.

J'ai ma fierté de gars, quand même.

— Tu sors d'où comme ça ?

— De l'autobus, dit-elle.

— Du même que moi ?

Alors là, il faut vraiment que je sois aveugle pour ne pas l'avoir vue.

— Non, j'étais dans l'autre, en arrière. Je t'ai vu descendre et j'ai couru comme une malade pour te rejoindre.

Au moins, je ne suis pas aveugle.

— Ça faisait longtemps qu'on ne s'était pas vus, continue-t-elle.

— Oui, c'est vrai.

Voyons, si je compte les jours depuis notre voyage à Chicoutimi, cela fait… deux jours.

Elle s'est ennuyée pour de vrai ou elle me taquine ?

Nous nous arrêtons à côté des portes, à l'extérieur. Rien ne sert d'entrer tout de suite, il reste encore une quinzaine de minutes avant le début de l'inventaire.

— Au moins, je ne suis pas fatiguée comme la dernière fois.

— Moi non plus, dis-je. C'est parce qu'on n'a pas dormi dans la même chambre, hier.

Elle baisse la tête et ses cheveux tombent sur son visage, mais elle ne fait pas un geste pour les repousser. Sans penser à ce que je suis en train de faire, j'avance la main et je le fais à sa place.

Elle me regarde avec de gros yeux, d'un air gêné et je réalise ce que je viens de faire.

239

— Euh… Tu ne devrais pas laisser tes cheveux tomber sur ton visage, comme ça.

— Pourquoi ?

Parce que tu es belle, Karine. Allez, dis-le. Dis-le, sale mauviette ! Dis-le, dis-le, dis-le !

J'ouvre la bouche.

— Hé ! Salut, vous autres !

Je regarde Laurie qui vient d'arriver.

— Pourquoi tu me regardes avec la bouche ouverte ? me demande celle-ci.

Je referme la bouche.

— Pourquoi vous êtes dehors ? Paul n'est pas encore arrivé ou quoi ?

Paul ! Je sors un fusil de chasse de derrière mon dos et je mets un genou par terre en visant dans tous les sens.

— Où il est, cet idiot ?

Je tire vers un groupe d'adolescents qui descendent la rue.

— C'est vous qui cachez Paul ? Donnez-le-moi que je l'abatte, ce sale chien !

Laurie regarde Karine.

— Il a pris de la drogue ou quoi ? Pourquoi est-ce qu'il ne parle pas ?

Cette dernière hausse les épaules.

— Hé, bande de lâches !

C'est Paul qui vient de sortir du centre commercial.

— Vous entrez ou quoi ?

Je vise sa tête, mais je m'aperçois que j'ai les mains vides. Merde ! Un fusil de chasse imaginaire ne se matérialise jamais au bon moment !

Nous le suivons jusqu'à la boutique Champlain où l'on peut acheter des appareils photo et autres accessoires pour les caméras. Déjà, il y a Hughes qui est là et qui nous attend. Il est immobile pour l'instant, mais aussitôt que l'inventaire va débuter, il va se mettre à courir dans tous les sens.

— Bon, dit Paul, si vous ne niaisez pas à soir, on va être sortis d'ici dans deux heures. Si vous êtes poches, ben ça va être plus long.

Bravo ! Quel discours ! J'en ai les larmes aux yeux !

On le suit dans l'entrepôt et Karine tire sur ma manche pour attirer mon attention.

— Quoi ?

Elle me fait signe de m'éloigner un peu des autres et murmure dans mon oreille en se retenant pour ne pas rire :

— T'as vu son trombone ?

Son trombone ? Est-ce qu'elle est en train de me demander ce que je pense ?

— Quoi ?

— Le pantalon de Paul ! Son trombone !

Oh mon Dieu ! Paul lui a montré son…

— Regarde, sur sa braguette !

Je n'ai pas envie de regarder là ! Pour qui elle me prend ?

Elle met ses mains autour de ma tête et me force à me tourner. Sans le vouloir, mes yeux se dirigent automatiquement vers l'entrejambe de mon ennemi juré et je pousse un soupir de soulagement lorsque je vois le trombone (un vrai). La braguette du pantalon étant brisée, il y a inséré un trombone afin de pouvoir la fermer correctement.

Une fois l'effet de surprise passé, je me rends compte du ridicule de la situation et j'éclate de rire, suivi peu après de Karine qui ne peut plus se retenir.

44

Apprendre à compter des appareils photo (deuxième flash)

PAUL A ENVOYÉ QUELQUES COMPTEURS DANS LE MAGASIN ET IL EN A GARDÉ DEUX POUR L'ENTREPÔT : UN HOMME DANS LA TRENTAINE QUE JE NE CONNAIS PAS ET MOI.

Il ne reste plus que deux semaines avant le début de l'école et je suis encore émerveillé par le fait qu'il y ait toujours de nouveaux visages lors des inventaires. Et il paraît que celui-ci est un habitué avec trois ans d'expérience, en plus !

J'aimerais bien être avec Laurie ou avec Karine dans l'entrepôt au lieu d'être avec cet homme dont j'ignore le nom. Mieux encore, j'aimerais bien être dans le magasin où la marchandise est bien rangée sur les tablettes.

Ce n'est pas comme si l'homme avait quelque chose d'intéressant à dire non plus; il ne parle même pas ! J'ai essayé deux ou trois fois d'entamer une conversation, mais il n'a répondu qu'avec des grognements. J'ai arrêté parce que je me suis dit qu'il allait finir par me mordre, cet animal.

Ce qui est chiant aussi, dans l'entrepôt, c'est que Paul y passe le plus clair de son temps. Au lieu de prendre une machine pour nous aider, il s'assoit derrière son ordinateur et il tape des touches au hasard (de ce que je peux voir, il ne se passe pas grand-chose à l'écran). De plus, lorsqu'il finit par se lever et aller faire un tour dans le magasin, il revient toujours avec son air grognon et il se plaint que les compteurs sont trop lents.

J'ai une violente envie de lui faire tomber un classeur dessus, mais je ne suis pas encore passé à l'acte. Je suis vraiment moche, aujourd'hui.

Finalement, après ce qui me semble être une éternité, il n'y a plus rien à compter.

— Venez me voir, dit Paul.

Il prend nos machines et transfère les données dans l'ordinateur.

— Allez m'attendre dehors, je vais aller vous placer dans une minute.

Nous sortons de l'entrepôt, mais nous ne sommes pas en mesure d'aider les autres parce que Paul doit nous dire quelle section compter.

— Pourquoi est-ce qu'il nous a pas placés tout de suite ? dis-je à mon collègue muet. Me semble que ça aurait été plus efficace de nous placer tout de suite et de sortir les rapports pour l'entrepôt après.

Un grognement.

— Comment tu le trouves, Paul ? que je demande encore.

Un autre grognement.

— Laisse faire.

Silence.

Il doit être heureux dans la vie, celui-là, il n'a jamais besoin de parler.

Paul arrive derrière nous.

— Bon, Denis, va compter sur le mur, là-bas.

Tiens, son nom est Denis. Il va falloir que je le retienne pour ne plus jamais lui parler.

— Louis, toi…

Il s'interrompt. Karine vient d'échapper un étui à caméra par terre et elle le ramasse rapidement pour le remettre en place.

— Ça ne sera pas long, dit Paul.

Il se dirige vers mon amie d'un pas rapide.

Est-ce qu'il est sérieux ? Il ne va quand même pas lui reprocher d'avoir laissé tomber un étui à caméra ? Ce n'est pas comme si l'étui était en porcelaine et qu'il s'était brisé !

Je m'approche pour entendre, mais je n'en aurais pas eu besoin.

— Voyons, Karine ! Ça fait trois fois que je t'avertis de faire attention ! Si tu n'es pas capable de comprendre, retourne donc chez toi !

Les compteurs et les employés du magasin s'arrêtent carrément de bouger pour regarder la scène. Trop surpris par l'attaque, je ne bouge pas d'un poil.

— Ça m'apprendra à faire confiance à des incompétents ! dit Paul avant de revenir vers moi.

Il me fait un signe de tête, comme si de rien n'était.

— Bon, où c'est que je vais te placer ?

Mais moi, j'ai les yeux fixés sur Karine qui a recommencé à travailler la tête basse, les cheveux devant le visage. Difficile de dire si elle est seulement en colère ou si elle pleure.

Peu importe.

— O.K., dit Paul, viens avec moi.

— Non.

— Quoi ?

Je parle d'une voix basse pour que lui seul m'entende.

— Est-ce que je peux te parler une seconde, dans l'entrepôt ?

— Ça ne peut pas attendre plus tard ?

Je ne suis pas gros. Je ne suis pas très grand non plus. Je ne me suis jamais battu. Je n'ai jamais fait de menaces à personne.

Mais ce n'est pas le temps de croiser le fer avec moi.

— Paul, si jamais tu ne me suis pas dans l'entrepôt, je t'attrape par les couilles et je te traîne de force, c'est-tu clair ?

Il ouvre la bouche pour répondre, mais il doit voir quelque chose qui ne lui plaît pas dans mes yeux parce qu'il la referme aussitôt et me fait signe qu'il a compris.

Une fois seul et à l'abri des regards, j'agrippe sa chemise et le pousse contre le mur.

— Écoute-moi ben, mon écœurant. À partir de maintenant, tu ne parles plus jamais à Karine. Non, encore mieux, tu ne la regardes même pas, O.K. ? Si jamais je te prends à même penser à elle, je te jure que je te casse toutes les dents que t'as dans bouche, O.K. ? Comprends-tu ça, le cave ?

Ce n'était pas exactement ce que j'avais l'intention de dire, mais on dirait que c'est mon inconscient qui a pris le contrôle de mes cordes vocales.

— Eille ! que je continue. Arrête de regarder le plancher, c'est moi qui te parle, là ! Tu vas laisser Karine tranquille, sinon, je te sacre une volée, est-ce que c'est compris ?

Avant qu'il ne puisse répondre, je m'éloigne de lui.

— Est-ce que tu vas me montrer où je dois compter, maintenant, ou je choisis moi-même une section ?

Il hésite. Il se lèche la lèvre du bout de la langue en me jetant un coup d'œil par en dessous.

Sans dire un mot, il me fait signe de le suivre et nous retournons dans le magasin. Une fois en train de travailler, je m'aperçois que je sue à grosses gouttes, et je dois m'essuyer le front du revers de ma manche.

C'est épuisant d'être agressif pour de vrai.

45 ‖‖‖‖‖‖‖‖‖‖‖‖‖

9 782896 070787

Apprendre à compter
des appareils photo
(troisième flash)

P AUL N'OSE PLUS ME REGARDER DANS LES YEUX. EN FAIT, IL NE REGARDE PLUS PERSONNE DANS LES YEUX. Il ne fait qu'envoyer des signes de la main et marmonner deux ou trois mots à la fois. Au moins, il parle plus que Denis.

Karine, elle, n'a pas prononcé une seule phrase depuis l'incident avec le superviseur. Elle ne m'a même pas parlé et je suis très inquiet. Lorsque Paul nous donnera l'ordre de partir, je crois que je vais marcher avec elle jusqu'à l'arrêt d'autobus et faire en sorte de la faire sourire à nouveau. Elle est bien plus belle quand elle sourit.

— Salut, me dit Laurie.

— Salut.

— Enfin fini !

— Oui.

Elle attend, comme si j'étais censé dire autre chose. Mais comme je ne dis rien, elle continue :

— Qu'est-ce que tu fais ce soir ?

— Rien de prévu. Toi ?

— Rien.

Pourquoi est-ce qu'elle me demande cela ? Elle veut m'aguicher encore une fois ? Me faire croire qu'elle veut de moi et puis partir sans avertissement ?

— Est-ce que tu veux venir faire un tour chez moi ? demande-t-elle.

Ou est-ce qu'elle est sérieuse, cette fois ?

Je la regarde dans les yeux et je prends bien soin d'analyser son expression, mais je ne vois pas de sourire moqueur. Elle semble sérieuse.

Qu'est-ce que je fais maintenant ? Je vais chez Laurie et, si Dieu me le permet, je goûte enfin aux plaisirs de la chair ?

Ou je raccompagne Karine jusqu'à l'autobus et je prie le ciel pour que je ne rate pas ma seule et unique chance d'être avec une fille ?

— Alors ? Qu'est-ce que t'en penses ?

Relaxe ! Elle ne voit pas que je suis en train de penser ? Comme si nous, les gars, nous prenions ce genre de décision à la légère !

Qu'est-ce que je suis en train de dire là ? Si je ne vais pas avec Laurie ce soir, je vais faire honte à toute la race humaine. Aux hommes, en tout cas. Après tout, Karine a ce mystérieux petit ami que je n'ai jamais vu qui pourra la réconforter. Plus j'y pense, plus je vois bien que ce n'est pas mon rôle de la faire sourire. Elle peut bien aller se jeter dans les bras de son petit ami et pleurer tout son saoul, qu'est-ce que ça peut bien me faire ?

— Oui, dis-je. C'est sûr que ça me tente d'aller chez vous.

Elle me fait le sourire le plus sexy du monde. Qu'est-ce qu'elle est jolie !

— On prend ma voiture ?

— T'as une auto ?

— Ouais.

Elle comptait me le dire quand, au mariage ? Au moins, ce n'est pas comme si j'apprenais qu'elle a une mauvaise habitude dégoûtante, comme celle de fumer ou de prendre de la drogue.

Comme fumer dans une chambre d'hôtel…

Bon, d'accord, elle n'est parfaite que physiquement, mais qu'est-ce que j'en ai à foutre ? Malgré toutes les blagues que je fais à ce sujet, est-ce que j'ai vraiment envie de passer le reste de ma vie avec elle ? Si ce n'est que pour une soirée, je peux bien lui pardonner ses défauts.

Je devrais quand même aller dire salut à Karine avant de partir, histoire d'être un bon ami. Quand même, après ce qui s'est passé…

Je regarde partout, mais elle n'est nulle part. Merde ! Est-ce qu'elle est déjà partie ?

Quelqu'un me prend la main. C'est Laurie.

— Est-ce que t'es prêt ? Paul a dit qu'on pouvait partir.

— Il a dit ça ?

— Je pense bien. Il a juste haussé les épaules, comme s'il s'en foutait.

Karine n'étant plus là, je ne vois vraiment pas pourquoi je resterais dans cet endroit une seconde de plus.

— O.K., on y va.

J'espère qu'elle va me tenir la main jusqu'à la voiture, mais immédiatement, elle la lâche et nous marchons côte à côte, sans nous toucher.

— Sais-tu pourquoi Paul était bizarre de même ? me demande-t-elle une fois dehors.

— Aucune idée. Est-ce qu'on est obligés d'en parler ?

— Pas vraiment. Je me demandais, c'est tout.

— O.K.

Moins on parlera, mieux ça sera. Si j'avais eu envie d'avoir une conversation, je me serais assis avec ma mère et lui aurais demandé de me raconter son enfance. Elle ne l'aurait pas fait, mais elle m'aurait posé tout plein de questions du genre : pourquoi est-ce que tu me demandes ça ? Est-ce que tu prends de la drogue ? Qui t'as influencé comme ça ?

Comme si je n'étais pas capable de prendre des décisions stupides sans influence externe.

Après être monté dans la voiture, je me tourne vers Laurie.

— T'habites où, au fait ?

Il faut bien qu'elle me le dise si je veux savoir comment m'en retourner par la suite.

— À Limoilou, sur la troisième avenue.

Je ne connais pas trop le coin, mais il doit bien y avoir un système de transport en commun. Sinon, j'appellerai un taxi. Que dis-je ! Pour Laurie, je rentrerais bien à pied.

Nous quittons le stationnement et elle bifurque sur le boulevard Laurier. En passant devant le centre commercial, je regarde vers l'arrêt d'autobus et j'aperçois Karine qui attend, la tête basse.

— Ça va ? me demande Laurie.

Je glisse la main vers la sienne.

— Oui. Pourquoi ça n'irait pas ?

46

Jeune homme guidé
par ses hormones

Alors que Laurie ouvre la porte de son appartement, je regarde ses fesses. Excellent. De toute beauté. La suivre jusqu'ici est la meilleure décision que j'ai prise de toute ma vie. Aucun doute.

Alors pourquoi est-ce que j'ai mal au ventre ? Probablement parce que j'ai un peu peur qu'il ne se passe rien, comme la dernière fois.

Elle me fait signe d'entrer et j'essaie de ne pas regarder ses seins étant donné que je ne veux pas avoir l'air trop pressé. Doucement, mon grand, doucement, voilà le secret (personne ne m'a jamais donné de conseils à ce sujet, alors je ne peux qu'espérer avoir raison).

— J'habite avec une amie, mais elle ne sera pas là de la soirée. On a l'appartement à nous tout seuls, dit-elle en me jetant un regard plein de sous-entendus.

Pourvu que je voie dans son regard ce qui est vraiment là et non ce que je veux voir.

— Est-ce que tu veux quelque chose à boire ? Une bière, de la liqueur ?

— Non, ça va.

— Je vais te faire visiter.

Elle me fait faire le tour et je lance quelques commentaires, histoire de lui faire croire que j'ai une opinion sur tout. Nous finissons par sa chambre à coucher où elle m'invite à me mettre à mon aise sur le lit.

Je prends une grande inspiration (pour me retenir de ne pas tout de suite me mettre en sous-vêtements) et je m'assois. Directement devant mes yeux se trouve une affiche géante de Justin Timberlake.

— Tu l'aimes, lui ?

Elle enlève sa blouse pour se retrouver en t-shirt blanc et elle prend place à côté de moi.

— Oui, il est vraiment bon. Pis il est tellement beau !

Bravo ! Le meilleur moyen pour mettre un gars à l'aise est bien évidemment de lui rappeler qu'il n'est pas aussi beau et apprécié par les filles qu'un autre !

— Est-ce que tu connais *Nada Surf* ? que je lui demande en gardant les yeux fixés sur le poster.

— Non. Ça ressemble à Justin ?

— Pas vraiment, non.

— Je ne connais pas ça. Moi, j'aime bien le pop, le R&B, le techno…

Le techno ? Quelle personne saine d'esprit écoute du techno ? Je peux comprendre qu'on danse sur cette musique, mais en écouter dans sa chambre, dans sa voiture ?

Elle s'approche un peu plus de moi jusqu'à ce que nos bras se touchent. Malgré mon manque d'expérience, je comprends ce que ça signifie.

Je pousse un soupir. Pourquoi ne pas refaire une dernière tentative ?

— Est-ce que tu connais le film *The Lost Skeleton of Cadavra* ?

— Non. C'est quel genre de film ?

Elle me pose la question, mais je vois bien qu'elle commence à s'impatienter.

J'abandonne. Je ne ressens rien pour cette fille. Elle a un physique d'enfer et c'est tout. Je serais fou de ne pas en profiter.

Je tourne mon visage vers le sien, ferme les yeux et je me penche pour l'embrasser. Elle me rend mon baiser, tranquillement au début, puis de plus en plus vite. Bien que je me sois pratiqué des centaines, voir des milliers de fois dans mon esprit, il est évident que c'est ma première fois et elle, non.

Je m'éloigne pour reprendre mon souffle. Je garde les yeux fermés. Je suis avec une fille hyper belle, pourquoi est-ce que je ne suis pas capable d'apprécier ?

Allez, connard ! Cesse de niaiser et recommence !

Mais c'est elle qui m'embrasse en premier. Je passe ma main dans ses cheveux et je me colle contre elle. Si je me suis rendu jusque-là, pourquoi ne pas essayer d'aller un peu plus loin ?

Je glisse la main sous son t-shirt et je la pose contre son soutien-gorge. Je la sens qui défait les boutons de ma chemise.

Je me recule, soudainement.

— Qu'est-ce qu'il y a ? demande-t-elle.

Je prends une grande inspiration. Assez, connard ! Qu'est-ce que tu fais ?

— Rien, ça va. On peut continuer.

Mais elle ne bouge pas.

— Arrête. Je vois bien qu'il y a quelque chose qui ne va pas depuis tantôt. T'es aussi bien de m'en parler tout de suite parce que sinon, ça va te déranger toute la soirée. Dis-le tout de suite, ça va être fait après ça.

Qu'est-ce qu'elle veut que je lui dise, exactement ? Je ne sais même pas pourquoi je me sens tout bizarre. Je suis avec une fille qui pourrait poser pour des magazines tellement elle est belle, mais je n'arrive pas à me concentrer.

Qu'est-ce qui me prend ? Allez ! Déniaise ! Grouille ! Fais quelque chose !

Elle continue de me regarder d'un œil inquiet. Je ne fais pas un geste.

Voilà que je me mens à moi-même. Je sais pourquoi tout ceci m'incommode.

— O.K., dis-je. O.K.

Elle lève les sourcils.

— Quoi ?

— Je… Je m'inquiète un peu. Tantôt Karine n'avait pas l'air d'aller et je n'ai pas eu le temps de lui parler avant de partir.

— C'est tout ? Si t'étais si inquiet que ça, c'est elle que t'aurais suivie et pas moi. T'as juste à l'appeler demain, O.K. ?

Elle a raison, l'allumeuse. Elle a parfaitement raison, même.

Elle s'approche pour m'embrasser, mais se bute à ma main que j'appuie contre son visage.

Elle pousse un cri de surprise.

— Qu'est-ce que tu fais ?

— Il faut que j'aille voir Karine.

— Quoi ? Maintenant ?

— Oui !

Je me lève et je cours vers la porte.

— Attends ! crie Laurie. Tu me niaises ou quoi ? C'est quoi ton problème ?

Je m'arrête. Je lui dois bien un peu d'explications.

— Je ne te niaise pas, mais ça ne serait pas juste pour toi si je restais ici. Je… Je ne peux pas, c'est tout.

Elle se lève. Elle semble hors d'elle.

— Tu me cours après depuis des semaines et là, tout d'un coup, tu ne veux plus ? J'étais certaine que vous aviez juste le cul dans la tête vous, les gars ! Je ne comprends vraiment plus rien !

Encore une fois, je m'arrête, le regard perdu dans le vide.

— Tu ne comprends pas les gars ? Ce n'est pas si compliqué, en fait, un gars. T'as raison, on pense juste au cul. Je pourrais te dire n'importe quoi, essayer de te faire croire que ce n'est pas vrai, mais ça serait mentir. Tout ce qu'on fait dans la vie, nous autres, c'est pour impressionner les filles. On s'entraîne, on fait du sport, c'est pour impressionner les filles. On se part des compagnies pour avoir de l'argent, c'est pour vous impressionner. Pour avoir une chance d'avoir du sexe, on est prêts à faire pas mal n'importe quoi.

Le regard toujours fixé sur un point imaginaire dans la chambre, je continue :

— Quand on vous ouvre la porte pour vous laisser passer en premier, c'est pour regarder vos fesses. Quand on vous laisse passer en premier dans les escaliers, c'est la même chose. Chaque fois que vous regardez ailleurs, chaque fois que vous détournez les yeux, on en profite pour regarder vos seins, vos jambes, n'importe quelle partie de votre corps où on peut voir de la peau. On se réveille le matin et on s'endort le soir en pensant aux filles. On en rêve toute la nuit pendant qu'on dort pis on y pense toute la journée !

Je fais un pas en avant.

— Pis on est prêts à profiter de chaque occasion qu'on a pour avoir du sexe. On est prêts à manquer de sommeil, à s'absenter de l'école ou du travail pour être avec une fille. La majorité des gars ont assez de cervelle pour mériter les occasions en vous achetant des cadeaux pis en vous faisant la cour de toutes les façons possibles. Il va toujours y avoir un ou deux caves pour qu'on ait tous l'air épais, mais en vérité, la plupart des gars vont rester respectueux et vont attendre votre permission parce que nous autres, on comprend que c'est vous qui nous complétez, que vous êtes là pour nous rendre heureux. C'est pour ça qu'on fait autant de conneries, pour attirer votre attention et espérer que, peut-être, je dis bien peut-être, vous nous laisserez aller un peu plus loin.

Finalement, je la regarde dans les yeux.

— À moins d'être amoureux.

Je souris pour la première fois depuis des heures, il me semble.

— À moins d'être amoureux. Un gars qui tombe amoureux d'une fille, ce n'est pas si différent d'un autre, mais en même temps, ça change totalement. Il va quand même faire du sport et s'entraîner pour qu'on le regarde. Il va quand même laisser passer les filles en premier, pour les regarder, elles. Mais il va arrêter de courir dans tous les sens. Il va arrêter de s'essayer avec toutes les filles. Il va rêver à elle la nuit, et penser à elle le jour. Il va lui acheter des cadeaux et lui faire la cour, à elle pis, à elle toute seule.

Je regarde ma montre.

— Il va essayer de ne pas arriver trop tard pour pas être impoli.

Je me mets à courir.

47

Apprendre à aimer

QUARANTE-DEUX MINUTES D'AUTOBUS. IL EST VINGT-DEUX HEURES TREIZE. J'ESPÈRE QUE JE N'ARRIVERAI PAS TROP TARD. Qu'est-ce qui m'a pris, aussi, de me décider ce soir ? J'ai eu amplement le temps avant.

Un gars n'est pas capable de prendre une décision rapidement.

J'ai un peu honte quand je repense à tout ce que j'ai dit sur les gars, il y a une heure. Il ne faudrait pas que le conseil d'administration des hommes apprenne ça, sinon on va me mettre dehors.

Note à moi-même : chercher sur Internet s'il existe un conseil d'administration pour les hommes.

Je regarde ma montre : vingt-deux heures quinze. Je ne suis plus qu'à deux ou trois arrêts de chez Karine, il me semble. Je regarde ma montre à nouveau : vingt-deux heures quinze.

AAAH ! Pourquoi est-ce que je regarde ma montre aussi souvent ? Pourquoi est-ce que je suis aussi obsédé avec le temps et les chiffres ? C'en est assez, à la fin.

J'enlève ma montre et regarde l'adolescent assis à ma gauche. Il n'y a rien sur son poignet. Je lui donne un petit coup sur l'épaule, pour attirer son attention.

— Quoi ?

— Est-ce que tu veux une montre ?

Il me regarde comme si j'essayais de le recruter pour un réseau de vendeur de drogue aux mineurs.

— Je suis sérieux, dis-je. Je te la donne.

Il croise les bras, comme pour se protéger.

— Non merci.

Ça m'apprendra à essayer d'être gentil avec un inconnu. Je décide de ne pas insister pour ne pas lui faire encore plus peur. Au moment où je vois mon arrêt s'approcher, je me lève et je laisse ma montre sur le siège. L'adolescent la regarde comme si c'était une bombe sur le point de sauter.

— C'est juste une montre, innocent !

Je crie assez fort pour que tout le monde puisse m'entendre.

Et je sors, un sourire aux lèvres. Quand je raconterai cette histoire à Karine, elle va sans aucun doute la trouver très amusante.

Je marche vers l'immeuble où elle habite pendant quelques mètres seulement avant de me mettre à courir, n'en pouvant plus. J'ouvre la porte extérieure et, horreur, il faut une clé pour aller plus loin !

J'essaie quand même et, surprise, la porte s'ouvre sans difficulté. Je vais aller botter le derrière du propriétaire qui me fait des peurs pour rien !

Je parcours le corridor, essayant de me rappeler le numéro de son appartement. Je monte au deuxième, puis au troisième. Je passe à côté du 50, du 51… Non, il me semble que le numéro commençait par un six, comme 67 ou 68 ? Ou 69 (ha !) ?

J'accélère le pas et, finalement, devant le 63, je m'arrête. Voilà ! J'y suis ! J'en suis certain ! En plus, je vois de la lumière sous la porte et j'entends de la musique. Elle est encore debout !

À moins que ce ne soit son petit ami. Tant pis, je vais tenter ma chance.

Sans m'arrêter pour penser (et me dégonfler), je frappe. Je me place bien en vue devant la porte pour qu'elle me voie par le judas. Après tout, elle va peut-être penser que c'est un pervers dangereux qui vient la voir à cette heure, alors que je ne suis qu'un pervers inoffensif.

Après ce qui me semble être une éternité, j'entends un cliquetis et la porte s'ouvre sur Karine, en robe de chambre, qui me regarde à travers ses cheveux.

Je souris. Je devrais dire quelque chose pour m'expliquer, mais je ne fais que sourire comme un simple d'esprit (et j'en suis peut-être un, tout compte fait).

— Louis ? Ça va ? Qu'est-ce que tu fais ici à cette heure ?

Bonne question.

— Euh…

Pas facile d'y répondre.

— Est-ce que je peux entrer ?

Elle ouvre la porte toute grande et la referme à clé derrière moi. Elle me fait signe de la suivre jusqu'au canapé où nous nous asseyons devant une télé ouverte qui présente des vidéoclips. Sur la table, devant le canapé, il y a un bol de croustilles à moitié vide ainsi que des morceaux de fromage dans une assiette. Il y a également un verre de vin presque plein.

Sans dire un mot, elle se penche pour attraper le verre et en prend une gorgée. Je ne peux voir son visage qu'à moitié à travers ses cheveux, mais je vois bien qu'elle n'est pas d'humeur à blaguer.

— J'ai dit à Paul de te laisser tranquille.

Ce n'est pas du tout ce que je voulais dire. Merde ! Ça commence bien…

— Merci, dit-elle sans émotion.

— Je…

Elle lève les yeux vers moi et me dit d'un ton sec.

— Pourquoi t'es ici, Louis ?

Rien ne va comme prévu. Mais il est trop tard pour reculer.

— Je sais que t'as un petit ami, Karine, mais faut vraiment que je te dise de quoi. Je… Je sais aussi que c'est vraiment con de ma part d'arriver ici à cette heure-là, mais je m'excuse, ça ne pouvait pas attendre.

— Laurie t'as jeté dehors, c'est ça ? Tu t'es dis que t'irais voir la pauvre Karine et que tu profiterais d'elle un peu, à la place ?

Misère ! Comment elle sait que je suis parti avec Laurie ? Je ne savais pas qu'elle m'avait vu !

— Non ! Ce n'est pas ça ! Oui, j'étais chez Laurie, mais je suis parti de moi-même ! Je…

— Tu n'as pas à t'expliquer, je comprends ! Tout le monde profite de moi, alors pourquoi pas toi ? Mes parents l'ont fait, mes amis, tout le monde en qui j'ai jamais eu confiance ! Pourquoi pas toi, hein ?

— Karine, je t'aime ! Il ne s'est rien passé avec Laurie parce que je ne le voulais pas ! Je t'aime, toi ! Je ne devrais pas te le dire parce que tu n'es pas libre, mais je ne suis plus capable ! Je t'aime Karine, je veux être avec toi !

Sans dire un mot, elle penche la tête en avant et je vois des larmes qui tombent sur sa robe de chambre. Je veux la prendre dans mes bras pour lui dire que tout va bien aller, je veux lui dire que je ne trahirai jamais sa confiance.

Je n'ose pas bouger, de peur qu'elle me jette dehors avant de savoir ce qu'elle pense de moi.

Pendant quelques minutes, je ne bouge pas et elle pleure. Puis, lentement, elle glisse la main derrière un coussin du canapé et elle sort un billet plié en deux, le genre que nous utilisons pour notre travail. Je ne comprends pas au début, puis elle le déplie et je vois une étoile, dessinée à la main.

Quel imbécile, je fais… Je suis là comme un idiot à ne pas savoir quoi faire pendant des semaines et elle garde l'étoile que je lui ai donnée lorsque je l'ai vue la première fois.

Qu'est-ce que je dois faire, maintenant ?

— Je suis célibataire, dit-elle entre deux sanglots.

Quoi ? Mais…

— Tu m'as fait mal, Louis. Au Big Shop, tu n'arrêtais pas de regarder Laurie, tu n'avais même pas vu que j'étais là. Chaque fois qu'on était ensemble et qu'elle arrivait, tu oubliais que j'étais là et tu la suivais comme un petit chien.

Depuis le début, elle avait remarqué… Évidemment, maintenant qu'elle me le dit, je ne devais pas être très subtil. Quel monstre je suis !

— Je ne sais pas pourquoi j'ai dit que j'avais un petit ami. Je voulais te rendre jaloux ou je ne sais trop. Je me rends compte que je t'ai peut-être juste fait fuir vers Laurie et c'est donc aussi un peu de ma faute, peut-être.

Non, ce n'est pas de sa faute ! Non, non et encore non !

— C'est de ma faute, Karine.

Tiens, j'ai de la difficulté à parler; j'ai le nez bouché et les yeux mouillés.

— Je m'excuse, j'ai vraiment été chien. C'est complètement de ma faute, je m'excuse. Je t'aime, Karine, je n'ai jamais voulu te faire du mal.

Elle s'essuie le visage avec sa manche.

— Moi aussi, je t'aime. Depuis le premier jour, je t'aime.

Je ferme les yeux, soulagé. Elle ne me déteste pas ! Elle m'aime ! Quelle joie ! Quel bonheur intense, inimaginable !

— Mais je ne peux pas être avec toi. Tu m'as fait trop de mal, Louis.

Non ! Elle… Elle ne peut pas être sérieuse…

— Je…

Qu'est-ce que je peux bien dire pour la faire changer d'idée ? Je ne peux pas la perdre !

— Je m'excuse, Karine, dis-je en éclatant vraiment en sanglots. Je ne veux pas te perdre, je t'aime.

J'avance ma main vers elle et m'arrête à quelques centimètres de ses cheveux.

— Karine…

Après un silence interminable, elle re-
pousse une mèche du revers de la main et me
regarde avec ses yeux rouges.

— On peut être amis si tu veux. Mais on ne
peut pas sortir ensemble. Pas tout de suite. Un
jour peut-être, si je te pardonne.

Oui ! Excellent ! Parfait ! Je n'en demande
pas plus ! Je ne veux pas la perdre, c'est tout !
Je l'aime, je l'adore !

Je réussis à rire à travers mes larmes, ce qui
produit un bruit assez étrange.

— Qu'est-ce que t'as ? me demande-t-elle.
T'es en train de t'étouffer ?

Je ris de plus belle, ce qui n'aide pas ma
cause.

— Non, dis-je, je suis content. Je ne veux
pas te perdre, Karine, je vais être ton ami. Pis
si tu ne me pardonnes jamais, je vais être ton
ami pour toujours. Je t'aime.

Elle esquisse un sourire. Oh mon Dieu !
Quel sourire ! Comme elle est belle, même
maintenant, alors qu'elle a le visage mouillé
et les yeux rougis.

— T'as vraiment l'air cave, me dit-elle.
Faudrait que tu te mouches.

Je ris encore plus. Je souhaite qu'elle me
fasse rire tous les jours.

— Pis toi ? que je demande. Est-ce que tu
t'es vue ?

— Est-ce que t'es en train de dire que je suis laide ?

— Non, ça te fait super bien d'être maganée de même ! Tu es la plus belle fille maganée que j'ai jamais vue.

Elle sourit un peu plus.

Tiens, est-ce qu'elle m'aurait déjà pardonné mes fautes ? Je m'essaie :

— Je m'excuse, dis-je d'un air sérieux.

Cette fois-ci, elle éclate franchement de rire.

— Bien essayé !

Ça ne me fait rien, ce n'est pas comme si j'avais réellement pensé qu'elle m'avait pardonné !

Merde…

48

Dernier inventaire

NON SEULEMENT JE DÉTESTE TOUJOURS COMPTER MAIS, MAINTENANT, MON REGARD EST AUTOMATIQUEMENT ATTIRÉ VERS CES SATANÉS CODES À BARRES.

La bonne nouvelle, c'est que je suis un peu moins obsédé par les chiffres qu'avant. La preuve, je me suis débarrassé de ma montre et je suis toujours capable de fonctionner normalement (un jour, lorsque je reprendrai l'autobus, je les retrouverai exactement où je les ai laissés — la montre et l'adolescent qui en a peur).

Voyons voir ce qui a changé durant l'été... J'ai obtenu et perdu volontairement mon premier emploi. Je suis allé voir mon père une semaine avant de recommencer l'école et lui ai annoncé qu'il me serait impossible d'étudier et de travailler en même temps et voici ce qu'il m'a répondu :

— Fils, le mieux placé pour le savoir, c'est toi.

Effectivement, mais ça ne lui ferait pas de tort de m'engueuler une fois de temps en temps pour me faire comprendre qu'il est le maître de la maison.

Il y a maintenant deux semaines d'écoulées à cette troisième session de cégep. Je n'ai aucun examen de fait. Il me manque 100 points (sur une possibilité de 102, à cause des points bonus) pour réussir mon cours de français. Le spécial du jour à la cafétéria coûte 6,80 $ (à cause de l'inflation), on va donc me remettre un peu plus de trois dollars en monnaie. Je ne compte plus le nombre de filles que je croise et que j'aimerais amener dans mon lit.

J'ai... Je ne sais pas combien d'argent que j'ai dans mes poches. Ni sur mon compte bancaire. J'ai acheté deux CD et un DVD durant l'été, mais je ne me souviens plus combien j'en avais avant. J'ai trois nouveaux livres (et plus de place pour les ranger).

J'habite toujours Québec et j'ai toujours 18 ans. Je suis un peu plus mature qu'au début de l'été, mais juste un peu. Ma famille est toujours là, mon père est aussi bavard qu'avant. J'ai toujours quelques boutons sur le visage, mais ils s'en vont tranquillement. Pas de nouveau plombage, pas de nouveaux souliers. Par contre, je me suis acheté une chemise et un t-shirt, pour le travail (que je ne porterai plus jamais).

Évidemment, tout ça ne veut absolument rien dire. Il n'y a qu'un chiffre qui me rende heureux dans la vie : le nombre d'amis que j'ai.

Il y a Hubert que je vois régulièrement malgré le fait que nous ne sommes plus collègues (vous auriez dû entendre ma mère bafouiller lorsqu'il est revenu chez moi !). Hubert, cet être un peu lent qui a appris avant moi quels étaient les sentiments réels de Karine. En effet, elle s'est confiée à lui lors de la fête chez Lucie et elle lui a fait promettre de ne rien me dire. Mon ami s'est montré un peu plus distant avec moi après cette soirée, mais moi j'étais trop idiot pour m'en apercevoir.

Et après j'ose dire qu'il est lent. Quel imbécile je fais !

Bref, je suis fier qu'Hubert soit mon premier ami. Au moins lui, quand je le croise, il ne fait pas semblant de ne pas me connaître.

Quant à Karine, c'est ma meilleure amie et mon amour, mais je ne suis pas encore le sien. J'ai pensé longtemps au moment exact où je suis tombé amoureux d'elle et je crois que tout a débuté lorsque je lui ai donné cette étoile et qu'elle m'a souri à travers ses cheveux. Si j'avais dit ou fait quelque chose à ce moment-là, je lui aurais évité bien des souffrances.

Il ne se passe pas un jour sans que j'essaie de me faire pardonner mes torts. Remarquez, je ne passe pas mon temps à lui dire que je m'excuse, sinon il y a longtemps qu'elle m'aurait sorti de chez elle à coups de pied au derrière ; c'est plutôt dans les petites choses que je m'y mets. Je lui dis qu'elle est belle lorsqu'elle se sent ordinaire, je la fais sourire lorsqu'elle est d'humeur maussade et je lui apporte du chocolat lorsqu'il semble n'y avoir plus rien à faire.

Nous avons écouté ensemble *The Lost Skeleton of Cadavra* et elle a adoré. Nous l'avons fait écouter à Hubert et il n'a rien compris.

Nous avons écouté ensemble la musique de *Creeper Lagoon* et j'ai adoré. Nous l'avons fait écouter à Hubert et il n'a pas aimé.

Nous avons jeté Hubert par la fenêtre.

Je ne sais toujours pas ce que je veux faire dans la vie, mais je sais ce que je veux. Je veux regarder Karine lorsqu'elle dessine. Je veux lui faire à manger lorsqu'elle a faim (note à moi-même : apprendre à cuisiner). Je veux la porter dans son lit lorsqu'elle est malade.

Je veux repousser les cheveux de son visage, lui dire comme elle est belle et l'embrasser (mais elle ne me laisse pas faire – pas encore).

Je veux en apprendre plus sur ses films préférés, sur ses ambitions, sur ses talents. Je veux continuer à l'écouter parler de son enfance et de ses parents jusqu'à trois heures du matin.

Je veux aller voir ses parents et leur dire ma façon de penser, mais elle ne veut pas me dire où ils sont.

Plus que tout, je veux continuer à compter (eh oui !). À compter les secondes entre le moment où je la quitte et où je vais la revoir (ce qui n'est pas facile vu que je n'ai plus de montre). À compter le nombre de fois où je peux la faire rire lorsque nous écoutons un film minable dans son appartement ou le nombre de fois où elle se cache derrière mon bras lorsque le film lui fait peur.

Mais rien n'est plus amusant que de compter quelque chose chez elle. Elle a deux yeux verts, brillants, pas faciles à voir derrière son masque de cheveux, mais je profite de chaque occasion pour m'y perdre. Elle a un nez fin, très joli, que j'ai tout le temps envie de mordre pour la faire rire. Elle a deux lèvres rouges et un sourire merveilleux qui ne manque pas de me faire sourire à mon tour.

Elle a deux seins parfaits, pas trop gros et pas trop petits. Il fallait bien que je les mentionne, sinon ce serait hypocrite de ma part.

Quelquefois, nous sommes assis côte à côte, sur son canapé, elle occupée à lire un livre et moi à faire des devoirs. C'est alors que je me rends compte que je suis si bien avec elle que j'ai l'impression que le temps s'arrête et que j'ai l'éternité devant moi.

C'est toujours dans ces moments-là que je laisse tomber ce que je suis en train de faire, que je m'approche d'elle sans faire de bruit et que je commence à compter ses cheveux. Après 20 ou 30, elle ne manque jamais de me repousser en riant et en disant que je devrais faire quelque chose de plus constructif de mon temps.

Alors, je m'éloigne un peu, sachant que je vais recommencer plus tard.

Parce que, après tout, j'ai l'éternité devant moi.

Éric Godin

Note de l'auteur : Si bémol

Autre note sur l'auteur :

L'événement le plus marquant de ma vie fut sans aucun doute ma naissance en 1982. Sans cela, je ne serais probablement pas en vie aujourd'hui.

Par un étrange concours de circonstances, je suis né dans une bibliothèque de la petite ville de Sainte-Catherine-de-la-Jacques-Cartier (entre Saint-Raymond et Val-Bélair pour être imprécis). Pourtant, je ne me suis jamais pris pour un livre (contrairement à Jocelyn Boisvert, dans la même collection, chez le même charmant éditeur...). Élevé par des rats (de bibliothèque), on m'a inculqué très jeune des valeurs fondamentales telles que la générosité, la reconnaissance et le sarcasme. Je ne rate jamais une occasion de mettre ce que j'ai appris en pratique en disant généreusement à ceux envers qui je suis reconnaissant que je les aime.

Apprendre à compter est mon 2e roman et j'en prépare d'autres pour mon plus grand plaisir et pour le vôtre également, je l'espère.

Vos commentaires seront accueillis avec une joie infinie au :

ericgodin@ymail.com

GARANT DES FORÊTS INTACTES

Ce livre a été imprimé sur du papier Sylva enviro
100 % recyclé, traité sans chlore, accrédité Éco-Logo
et fait à partir d'énergie biogaz.

Achevé d'imprimer
à Montmagny (Québec)
sur les presses de Marquis Imprimeur
en janvier 2013